Leben Sie auch vor sich hin? Einfach so, weil Sie es längst aufgegeben haben, vom Leben noch Großes zu erwarten? Ist Ihre Lebenssituation schwierig oder haben Sie Sorgen? Ich weiß, ich weiß, das Leben kann einem ganz schön zusetzen und leicht ist es auch nicht immer. Nur, ist Ihr Leben wirklich so? Sehen Sie das Leben vielleicht durch eine Brille, die Ihnen jemand anders aufsetzte? Erleben Sie das Leben durch ein Muster, das Ihnen jemand anders gab? Fragen über Fragen. Lesen Sie sich Kapitel für Kapitel durch das Buch und Sie werden auf viele Fragen eine Antwort finden. Ich wünsche Ihnen viel Freude und viele Erkenntnisse beim Lesen.

Sie sollten Menschen mögen

Ein Puzzle für das (Netzwerk-)Leben

Eine Liebeserklärung an das Leben

von

Christine Pleschkou

pro literatur Verlag

Christine Pleschkou
Sie sollten Menschen mögen

ISBN 10: 3-86611-366-8
ISBN 13: 978-3-86611-366-4

pro literatur Verlag, Mering.
www.pro-literatur.de

Wenn du ein Schiff bauen willst, so trommle nicht die Menschen zusammen, um Holz zu beschaffen und Werkzeuge vorzubereiten oder die Arbeit einzuteilen und Aufgaben zu vergeben – sondern lehre die Menschen die Sehnsucht nach dem endlosen weiten Meer.

Antoine de Saint-Exupery

Inhalt

Vorwort

Wann haben Sie zuletzt das Gefühl einer endlosen Sehnsucht verspürt, etwas zu tun, zu verbessern, zu erreichen? Eine Sehnsucht, die Fesseln sprengt, einen über sich selbst hinauswachsen lässt und eine Entwicklung zu Freiheit im Denken, Fühlen und Tun bewirkt.

Der erste Schritt wäre, Verantwortung für Ihre Lebensaufgabe zu übernehmen. Denn Ihre Gedanken werden zu Worten, Ihre Worte zu Taten, Ihre Taten zu Ihrem Charakter und Ihr Charakter wird Ihr Schicksal.

So viele Menschen laufen tagtäglich herum, um Dinge zu tun, die für sie wichtig erscheinen. Sie sind damit beschäftigt, irgendetwas zu tun, um etwas zu tun und führen doch ein leeres, aufgabenloses Leben. Sie scheinen ständig in einem Halbschlaf zu sein und das Leben an sich vorüberziehen zu lassen. Dabei wäre so leicht ein erfülltes Leben zu leben.

Haben Sie den Mut Prägungen und Lebensspuren anzusehen und das Geschenk dieser Situationen auszupacken. Nichts in Ihrem Leben war umsonst, alles gehörte zu Ihrem Weg. Das zu erkennen, Ihre Lebensaufgabe zu finden und daraus das Leben zu formen, das Sie leben möchten, damit Reichtum, Glück, Gesundheit, Friede und Harmonie, in Ihrem Lebens-Haus ist. Das ist der Grundgedanke dieses Buches, viel Freude und viele Erkenntnisse beim Lesen.

Sie sollten Menschen mögen

Der Titel dieses Buches hat Sie entweder neugierig gemacht oder irritiert. Ich nehme an, Sie haben schon einige Bücher über Motivation, Persönlichkeitsentwicklung oder Selbstfindung gelesen, und trotzdem wird für Sie in diesem Buch sicher noch Interessantes und vielleicht auch Neues zu finden sein. Wie ich darauf komme? In den vielen Seminaren und Einzelgesprächen mit Freunden und Klienten hat sich herausgestellt, dass tief verwurzelte Prägungen, automatisierte Angewohnheiten oder überholte Ansichten verhindern, neue Ideen konstruktiv umzusetzen.

Das hat mich dazu gebracht, einen Weg zu beschreiten, der es mir ermöglicht, an die schlummernden Wünsche und verborgenen Sehnsüchte meiner Gesprächspartner heranzukommen. Das Ergebnis, aus dem Heute, Hier und Jetzt gebildet, ermöglicht eine andere Sichtweise des Lebens und eröffnet Chancen auf das Erkennen der Lebensaufgabe.

Kommen Sie mit mir auf eine Entdeckungsreise. Das neue Wissen und die Entwicklung Ihrer persönlichen und sozialen Kompetenz wird es Ihnen leichter machen, sich neuen Herausforderungen zu stellen, Chancen zu erkennen und über sich selbst hinauszuwachsen.

Dieses Buch soll Ihnen helfen, Ihr Leben neu auszurichten, wert- und sinnvoll zu gestalten, damit Ihre Seele, der Kern Ihres SEINS, Ausdruck finden kann.

Wer neue Ideen scheut,
muss Altes dulden.

Ihr Leben

Als Erstes möchte ich Sie fragen: *Geht es Ihnen gut? Führen Sie ein glückliches Leben, sind Sie rundum zufrieden?* Nein? Dann sind Sie in bester Gesellschaft. Die Erfahrung zeigt, dass nur ein geringer Teil der Menschen seine Träume und Lebens-Vorstellungen verwirklicht. Einige beginnen sich irgendwann Gedanken zu machen, ziehen einen Schlussstrich und steigen einfach aus. Sehr viele Menschen begraben jedoch ihre Hoffnungen. Sie kommen ihren Pflichten nach, leben angepasst, so wie es von ihnen erwartet wird, gleichen sich an und leben vor sich hin, unerfüllt und unglücklich.

Ich will Ihnen dazu eine Geschichte erzählen, die Ihnen sehr anschaulich aufzeigt, wo der Unterschied liegt zwischen – ich möchte es tun und ich tu es.

> *Ich habe Workshops veranstaltet mit dem Titel: Ihre Wünsche, Ihre Träume, wo sind sie geblieben?*
>
> *Eifrig haben sich die Teilnehmer über die schriftlichen Fragebögen gebeugt und geschrieben und geschrieben. Einige sind mit dem Ausfüllen der Bögen überhaupt nicht fertig geworden, so viele Wünsche und Träume – die noch unverwirklicht in geheimen Schubladen stecken – hatten sie.*
>
> *Und, werden Sie wahrscheinlich jetzt fragen, was ist dabei herausgekommen, was haben die Teilnehmer dann gemacht? Nun ja, die Hälfte der Teilnehmer hat anschließend agiert und ihr Leben verändert. Die andere Hälfte hat zwei Stunden lang in der Traumkiste gestöbert und hat … weitergeträumt!*

Würde es Ihnen auch so gehen, dass Sie weiterträumen? Oder sind auch Ihnen schon irgendwann, ohne dass Sie es richtig merkten, Ihre Träume abhanden gekommen? Kommen Sie Ihren Pflichten nach, welche auch immer das sind, und leben Sie so wie die Gesellschaft, die Familie, der Nachbar das erwartet?

In der heutigen Zeit sind zu viele Menschen so sehr damit beschäftigt, weiter zu existieren und alles Mögliche unter einen Hut zu bringen. Karriere, Familie, Kinder, Hypotheken, Reisen und genügend Geld beschaffen. Irgendwann fangen sie dann an, sich zu fragen, ist das alles? War das mein Leben? Fragen Sie sich das auch schon?

Sagen Sie jetzt vielleicht: *Ja, wenn* ... genau, ja wenn! Wie oft höre ich diese zwei Worte. Ja wenn, dann wäre ... alles ganz anders. Was wäre anders? Wer bestimmt Ihr Leben? Die Umstände, das Schicksal, die gelungene oder verkorkste Erziehung? Ihr Erbgut, der Lauf des Lebens, die Entscheidungen anderer?

Lustlose, gleichgültige oder negative Einstellungen bringen kaum ein bereicherndes Leben. Oder möchten Sie Ihr Leben verschenken? Nein? Dann beginnen Sie, Verantwortung für Ihr Leben zu übernehmen, ändern Sie Ihre Sichtweisen. Dieses Buch will Ihnen dabei helfen, es kann Ihr Leben verändern. Entscheiden Sie sich für ein glückliches, erfülltes Leben, nehmen Sie Ihren ganzen Mut zusammen, schwierig ist immer nur der erste Schritt.

Wer sein Schicksal für besiegelt hält,
ist außerstande, es zu besiegen!

Viktor E. Frankl

Sie sollten sich mögen

Um an Viktor E. Frankl anzuschließen, er sagte unter anderem auch

Liebe ist jene Beziehung von Mensch zu Mensch,
die uns instand setzt, den Partner in seiner
Einzigartigkeit und Einmaligkeit wahrzunehmen.

Nehmen Sie vorerst bitte das Wörtchen Liebe heraus, was bleibt dann vom Satz übrig? Eine Beziehung von Mensch zu Mensch bedeutet, den anderen in seiner Einzigartigkeit und Einmaligkeit wahrzunehmen. Gelingt Ihnen das? Wirklich? Herzlichen Glückwunsch!

Sehr vielen Menschen ist das Wahrnehmen des anderen in seinem So-SEIN nur sehr schwer möglich. Sie sehen ihn durch ihre eigene Brille, werten ihn nach ihren eigenen Erfahrungen und sind dadurch blockiert, ihn in seiner Einzigartigkeit und Einmaligkeit zu sehen.

Grundbedingung, den Nächsten in seinem So-SEIN zu sehen, zu erfassen, ist natürlich, dass Sie sich selbst in Ihrem So-SEIN erfassen und sehen. Ja, nur dann – wenn Sie sich Ihres SEINS bewusst sind und es auch begreifen können.

Warum ist das für viele Menschen so schwierig? Niemand kann sich den Einflüssen der Gesellschaft, den Prägungen des Lebens und den Vorstellungen vom Leben, die ihm vermittelt wurden, entziehen. Die Art, wie Sie erzogen wurden, gibt Ihnen eine Sichtweise auf Ihr heutiges Leben und wirkt, direkt und indirekt, auf Ihr Wesen. Es ist eine Tatsache, dass jede Lebensbegegnung eine Spur hinterlässt und – auf die Gewohnheiten und den Lebensstil – prägend wirkt. Entsprechend Ihrem Charakter agieren Sie dann im täglichen Umgang mit anderen und das bewirkt eine weitere Angewohnheit, eine weitere Programmierung oder Prägung.

Wenn Sie jetzt sagen: *Da drehe ich mich ja im Kreis* – so stimmt das. Sie haben jedoch jeden Tag die Wahl, aus diesem Kreis auszusteigen. Nehmen Sie sich in Ihrer Einzigartigkeit und Einmaligkeit wahr, öffnen Sie sich für Ihr ursprüngliches Wesen, leben Sie Ihr SEIN.

Vielleicht dauert es einige Zeit, bis Sie Ihr Selbst freigelegt, allen Schutt entsorgt haben und frei atmen können. In dem Moment jedoch, wo Sie Ihre Vorstellungen, Programmierungen und Prägungen erkennen, dürfen Sie alle aufgedeckten, unnötigen und unbrauchbaren eliminieren, und die neuen Erkenntnisse in Ihr Leben integrieren.

Vorstellungen, Prägungen, Programmierungen, Spuren des Lebens, wo ist hier der Unterschied und was meine ich damit eigentlich?

Nun, ich mache bei meinen Beratungen immer einen Unterschied zwischen

- Vorstellungen
  sie stehen vor der Realität, die ich ändern kann

- Spuren des Lebens
  sind Generalisierungen, die meist versteckt sind

- Programmierungen
  negative Glaubenssätze, die mich behindern

- Prägungen
  meist durch Erziehung und Elternhaus

Vorstellungen

Wie stellen Sie sich denn vor, dass Ihr Leben ist? Aha! Stellen Sie sich das wirklich so vor oder liegt da irgendwo im Hintergrund eine Vorstellung, die Sie nur angenommen oder übernommen haben? Vielleicht weil

- die Mutter das auch so gemacht hat
- ein Partner das möchte oder erwartet
- das Leben Sie dazu gemacht hat
- Ihr Beruf schuld daran ist
- Ihre Eltern das erwarten
- die Wirtschaft, die Gemeinde
- ... ...

Ja, ja, alles was Sie glauben tun zu *müssen* - das liegt in Ihrer Vorstellung! Finden Sie diesen Satz provokant? Nun, die Sache ist einfach, denn jede Vorstellung steht vor einer Realität.

Nehmen wir einmal den ersten Punkt, *meine Mutter hat das auch so gemacht*. Jetzt überlegen Sie einmal, ist das, was Sie von Ihrer Mutter übernommen haben für *Sie* gut und richtig? Ja, dann stehen Sie dazu. Sie haben etwas übernommen, das für Sie vielleicht praktisch und angenehm ist, etwas das schon sehr viele Jahre sehr gut funktioniert. Dahinter brauchen Sie sich in keiner Weise zu verstecken. Stehen Sie dazu, bleiben Sie jedoch trotzdem offen für neue Erkenntnisse und Veränderungen.

> *Ich habe für eine Freundin Wäsche gebügelt und so zusammengelegt, wie ich es eigentlich für mich immer mache. Das war leider falsch. Sie legt ihre Wäsche anders zusammen, obwohl meine Art platzsparender wäre. Ich habe sie darauf hingewiesen und die sehr patzige*

Antwort bekommen: Meine Mutter hat die Wäsche schon so zusammengelegt und ich mach das eben auch so. Punkt.

Wow, das hat gesessen! Ich bin ihr also sehr stark auf das Hühnerauge getreten. Meine Frage nun an Sie, warum steht sie nicht zu ihrer Art die Wäsche zusammenzulegen? Ganz einfach, sie fühlte sich angegriffen und ihre Mutter angegriffen und wahrscheinlich ihre Lebenseinstellung in Bezug auf Wäschebügeln angegriffen, und, und, ... Vielleicht war durch diesen einen, einfachen Satz auch ihre Welt erschüttert.

Eine bessere Reaktion hätte sein können

- darüber habe ich noch nicht nachgedacht
- ich mag das so, wie es ist
- das ist bei mir schon Gewohnheit
- leg' die Wäsche bitte doch anders zusammen
- ... ...

und wenn sie sehr selbstbewusst gewesen wäre, hätte sie gesagt

- aha, so geht das auch
- es ist wirklich mehr Platz
- super, jetzt bringe ich den Stoß hier unter
- ... ...
- oder einfach: danke.

Dieses Beispiel können Sie sehr leicht auch auf Vorstellungen, die den Partner betreffen, umlegen. Bei den Vorstellungen den Eltern gegenüber ist es ähnlich. Wenn es zur Gewohnheit geworden ist, dass Sie jeden Sonntag pünktlich 12:00 Uhr zum Mittagessen bei Ihren Eltern erscheinen, dann hat es wenig Sinn, wenn Sie mit dem Gefühl hingehen:

- das geht mir so auf die Nerven
- was ich in der Zeit alles tun könnte
- immer dieselbe Litanei anhören
- die ewige Fragerei nach ...
- ... ...

Wie heißt es so schön? Sie haben immer mindestens zwei Möglichkeiten. Die erste wäre, Sie stehen hinter dem, was Sie tun. Voll und ganz! Kein Murren, kein Wenn und Aber. Vielleicht gehen Sie wirklich gerne hin oder Sie haben sich entschieden, den Wünschen Ihrer Eltern zu entsprechen. Dann tun Sie es auch. Mit Ihrem ganzen wunderbaren Wesen, aller Herzenswärme und Aufmerksamkeit.

Oder Sie reden mit den Eltern. Eltern sind meist sehr verständnisvoll und tolerant. Sie wissen vielleicht überhaupt nicht, dass Sie lieber nur alle zwei Wochen kommen möchten. Mag sein, Ihre Mutter ist sogar sehr froh, weil das Kochen sie sehr belastet. Oder, oder, ...

Denken Sie einmal darüber nach und reden Sie dann. Geben Sie Ihre Gedanken, Ihre Einwände, Ihre Vorstellung preis, einigen Sie sich und leben Sie dann auch danach. Mit all Ihrer Herzenswärme, Güte und Liebe, ...

Von Mensch zu Mensch, bitte. Ich meine das wirklich so. In unserer schnelllebigen Zeit haben wir es fast verlernt mit dem anderen direkt zu kommunizieren. Es wird in Handys gequasselt, es werden E-Mails hin- und hergeschickt – nur direkt miteinander geredet wird in den seltensten Fällen. Oder können Sie sich vorstellen, eine wichtige, gravierende Situation am Telefon zu besprechen? Angenommen, Sie sagen den Sonntag bei Ihren Eltern ab, höchstwahrscheinlich würden Sie nur schnell hineinbellen: *Ich kann Sonntag nicht kommen!* Poing!

Wie viele Gedanken würden Ihren Eltern in so einer Situation durch den Kopf gehen:

- Hat das Essen nicht geschmeckt?
- War Vater vielleicht doch zu direkt?
- Hätte ich sie das nicht fragen sollen?
- … …

Hinterfragen Sie die Gründe für Ihre Entscheidung und besprechen Sie diese mit den Eltern. Bedenken Sie jedoch auch die Auswirkungen, die die neue Situation für Sie und für die andere Seite hat.

Es könnte ja sein, dass Sie jetzt nicht mehr jeden Sonntag zu Ihren Eltern fahren, dafür aber selber kochen müssen oder essen gehen. Was tauschen Sie – wofür – ein? Möchten Sie das wirklich? Dann stehen Sie voll und ganz hinter Ihrer Entscheidung, ohne Wenn und Aber, das ist sehr wichtig. Entscheiden Sie sich jedoch, doch jedes Wochenende zu den Eltern zu fahren, dann stehen Sie dazu, voll und ganz. Mit all Ihrer Herzenswärme, Güte und Liebe, ...

Das Leben ist wie ein Echo:
Was wir aussenden, erhalten wir zurück.

Wenn Sie jetzt sagen: *Das Leben, der Beruf, das Umfeld hat mich dazu gemacht.* Wozu gemacht? Sie haben es zugelassen. Warum? Wie ist es dazu gekommen? Welchen Gewinn hatten Sie dadurch? Oder – vor welcher Konfrontation hatten Sie sich damals gedrückt? Wo konnten Sie nicht nein sagen? Fragen über Fragen. Nur, erst wenn Sie hinsehen, wirklich hinsehen, in Ihren Erinnerungen suchen, in Ihren tiefsten Geheimnissen wühlen und im hintersten Winkel Ihrer Seele kramen, werden Sie entdecken was wirklich dahintersteckt und dann dürfen Sie agieren.

Ich habe in meinen Beratungen die Erfahrung gemacht, dass sehr oft die Bedürfnisse des anderen über die eigenen gestellt werden. Die Gründe sind meist

- Angst vor einer Konfrontation:
  was ist wenn er/sie nein sagt?

- zu wenig Mut, seine Wünsche zu präsentieren:
  was wird er/sie dazu sagen?

- Schwierigkeiten bei der Kommunikation:
  ich weiß nicht, wie ich ihm/ihr das sagen soll

- Angst vor Liebesentzug:
  wegen Aufmüpfigkeit

Nur, wenn Sie die Bedürfnisse anderer vor Ihre eigenen stellen, dann sollten Sie sicher sein, dass Sie das auch wirklich wollen.

> *Mein Lebenspartner war bei einem Verein der mir wenig lag. Ich hatte dafür kein Interesse und war demnach dort nicht engagiert. Meistens ging er auch alleine zu den Veranstaltungen und Sitzungen. Eines Tages jedoch bat er mich, ihn zu begleiten, es wäre ihm diesmal sehr wichtig. Ok, und nun?*
>
> *Ich hatte zwei Möglichkeiten. Die eine wäre gewesen, zu protestieren und bei der Veranstaltung den ganzen Aben, meinen Unmut offen zur Schau zu stellen. Oder, mich BEWUSST auch für diesen Abend zu entscheiden und ihn zu begleiten, aus ganzem Herzen, liebevoll und*

aufmerksam. Zur Ergänzung – der Abend war ganz nett!

Sie sehen, ich habe meine Bedürfnisse nicht *hinter* seine gestellt, sondern wir sind MITEINANDER zu dieser Veranstaltung gegangen.

Notwendigkeit ist ein Übel,
aber es besteht keine Notwendigkeit,
unter einer Notwendigkeit zu leben.

Epikur

Spuren des Lebens

Was meine ich nun mit Spuren des Lebens. Es sind Begebenheiten, die Ihr Denken, Ihre Entscheidungen, Ihre Empfindungen unbewusst beeinflussen. Sie werden oft in den unmöglichsten Situationen wirksam und können Vorbehalte gegen Menschen und Dinge hervorrufen.

Solche Spuren des Lebens hat jeder Mensch in irgendeiner Form. Einige Beispiele will ich Ihnen erzählen, wie unbewusste Spuren Menschen reagieren lassen.

Ein männlicher Klient hatte eine schon panische Abneigung gegen Frauen, die einen roten Rock trugen. Es konnte die hübscheste, witzigste, fantastischste Frau sein - ein roter Rock und alles an ihm lehnte sich gegen diese Frau auf.

Die Lösung war, seine Mathematiklehrerin in der Schule trug sehr gerne rote Röcke und die konnte ihn, und er sie, absolut nicht leiden.

Es war sehr einfach, sein Problem zu lösen. Meine Fragen an ihn waren:

- Was bedeutet für Sie ein roter Rock?
- Mögen Sie rot überhaupt?
- Mögen Sie Röcke?
- Wer trug rote Röcke?

Er hatte unbewusst etwas generalisiert, wir Menschen neigen dazu. Um Generalisierungen aufzuheben, bedarf es oft nur einer breit gefächerten, tief greifenden Hinterfragung. Dann kommen die verborgenen Assoziationen zum Vorschein und können abgeändert, umgepolt oder gelöscht werden.

Angenommen, Sie fahren in die Toskana. Der erste Italiener ist nett, der zweite auch und der dritte ist einfach umwerfend ... alle Italiener sind nett. Sie haben generalisiert.

Noch ein Beispiel. Sie möchten einmal einen Döner probieren. Der erste Döner schmeckt Ihnen nicht, der zweite Versuch ist auch nicht besonders appetitanregend, der dritte ... Und nun: Döner schmecken nicht – generell.

Generalisierungen sind etwas, das durch *Ihre* Erfahrung eine Wirkung auf Sie ausübt. Ob Ihnen diese Spuren des Lebens, aufgrund derer Sie generalisieren, nun bewusst werden, kommt darauf an, wie realistisch Sie sich Ihre Reaktionen, Ihre Denkweise und Ihre Gefühle hinterfragen. Angenommen Sie denken

- im Beruf: Chefs sind schimpfende Ausbeuter
- in der Familie: das was ich will wird sowieso nie gemacht
- durch Umstände: ich bekomme immer den hintersten Platz
- durch Situationen: mein Wort gilt sowieso nie

Je ehrlicher Sie mit sich selbst umgehen, umso rascher werden Sie versteckte Spuren aufdecken.

Bleiben wir bei dem Beispiel Chef:

- Wie kommen Sie dazu zu sagen, alle Chefs sind Ausbeuter?
- Was macht Ihr jetziger Chef das Sie so stört?
- Was hatte der Chef davor für Eigenheiten?
- Werfen Sie vielleicht alle in einen Topf, weil es einfach ist?
- ... ...

Weitere, ergänzende Fragen oder ein anderer Ansatz zum ausbeutenden Chef könnte sein:

- Sind Sie nicht rechtzeitig fertig geworden?
- Haben Sie Zeit vertrödelt?
- Zu spät begonnen?
- Sind Sie in Ihrem Job unglücklich?
- Sind Sie in Ihrem Job unter- oder überfordert?
- Fehlten Ihnen Informationen?
- ... ...

Sollten Sie der Meinung sein, in Ihrer Familie wird das, was Sie wollen, sowieso nie gemacht, dann wären folgende Fragen möglich:

- Können Sie Ihre Wünsche vorbringen?
- Können Sie klar, deutlich sagen, was Sie wollen?
- Stehen Sie zu dem, was Sie sagen?
- Ändern Sie vielleicht zu oft Ihre Meinung?
- Können Sie sich überhaupt durchsetzen?
- Gibt es eigentlich ein Miteinander?
- ... ...

Ergänzend und trotzdem wichtig:

- Möchten Sie überhaupt akzeptiert werden?
- Ist es angenehm, keine Entscheidungen treffen zu müssen?
- Sind Sie vielleicht zu streichelweich?
- Möchten Sie wirklich gleichberechtigt sein?
- ... ...

Oft kann es ganz angenehm sein, anderen die Entscheidungen zu überlassen. Man kann dann so schon aus der Ecke heraus schimpfen, murren und lästern, denn schuld sind ja die anderen.

Wenn es um Situationen und Umstände geht, die Ihr Leben beeinträchtigen, dann dürfen Sie auch hier hinsehen, die Ursache erforschen und betrachten – und Ihre Einstellung ändern.

Wie wäre es mit:

- Heute bekomme ich einen sehr guten Platz.
- Bei diesem Event stehe ich in der ersten Reihe.
- … …

oder

- Heute hören die Menschen auf das, was ich sage.
- Die Menschen akzeptieren jetzt meine Meinung.
- … …

Sehen Sie sich Beispiele oder Situationen aus Ihrem Leben, Ihrem Umfeld, etwas genauer an. Sie werden merken, dass wir Menschen sehr vorschnell sind mit Generalisierungen, ob in der Politik, der Wirtschaft, bei Prominenten oder in Bezug auf unser eigenes Leben.

Lediglich drei Lebensumstände genügen meistens, um zu einer dieser Erkenntnisse zu kommen

- Die Welt ist ja so schlecht.
- Keiner liebt mich.
- Immer bin ich schuld.
- Mein Leben ist so sinnlos.
- Mir wird es nie besser gehen.
- Es ist immer alles dasselbe.
- … …

Kennen Sie einige davon? Aus eigener Erfahrung? Dann wissen Sie jetzt, wie Sie Ihre Generalisierung betrachten und auflösen können.

Der Mitarbeiter einer Verkaufsabteilung sollte schon wieder zu einem Motivationsseminar gehen. Er hatte bereits beim Chef, beim Verkaufsleiter und dem Abteilungschef ein Seminar mit diesem Inhalt besucht und wollte auf keinen Fall noch einmal diesen Blödsinn, wie er es ausdrückte, mitmachen.

Was war eigentlich passiert, wie kam er zu dieser, seiner Erkenntnis.

Das erste Seminar hielt ein Mann, den er nun überhaupt nicht leiden konnte, und so hörte er kaum hin, auf das, was gesagt wurde. Beim zweiten Seminar, mit demselben Inhalt, übertrug er seine Voreingenommenheit sofort auf den Redner – der erzählte ja das Gleiche und, und, und... – deshalb war er gedanklich kaum anwesend. Beim dritten Seminar, diesen Mann mochte er eigentlich, fehlten ihm die Grundkenntnisse der beiden vorigen Seminare und auf seminarbezogene Fragen des dritten Redners hatte er keine Antwort.

Seine Quintessenz: Motivationsseminare sind doof, solchen Blödsinn mache ich nicht noch einmal mit.

Lächeln Sie? Fein, dann haben Sie ähnliche Gedanken auch schon gehabt, wenn Sie zu einer Schulung oder einem Seminar geschickt wurden.

Eine junge Frau war sehr strebsam und erfolgreich in ihrem Beruf. Eines Tages stand die von ihr so sehr gewünschte Beförderung im Raum. Sie hatte sehr hart gearbeitet, viel gelernt und sich sehr eingesetzt, sie wollte diesen Job, die-

se verantwortungsvolle Aufgabe unbedingt übertragen bekommen.

Leider ging es ab dem Tag, an dem sie wusste, sie wird diese Position erhalten, mit ihren beruflichen Leistungen bergab. Sie war immer gereizt und machte die unmöglichsten Fehler. Sie gab falsche Unterlagen und Informationen weiter und vergaß Termine.

Wir sind dem Umstand des plötzlichen Versagens auf den Grund gegangen und das Ergebnis und die Lösung waren faszinierend. Diese Beförderung brachte auch eine rege Reisetätigkeit, mit vielen Flügen, mit sich. Sie hatte jedoch vor Jahren einen sehr turbulenten Flug erlebt und seitdem Flugangst.

Nach dem Ansehen und dem Aufarbeiten dieses Problems konnte sie sich wieder voll auf den Beruf konzentrieren. Alles lief wieder ganz fantastisch und der Beförderung stand nichts mehr im Weg.

Unbewusste und unbegründete Ängste sind das lähmendste Gift, das es überhaupt gibt. Sie hindern uns, frei und lebensfroh zu agieren, etwas zu wagen und mit unserer Natürlichkeit, unserem Selbst, hinauszugehen.

Unsere Erfahrungen sind Giftbecher
oder Gefäße heilsamen Lebens,
je nachdem, womit wir sie füllen.

Helen Keller

Einer meiner Klienten, ein stattlicher Mann in mittlerer, fast unkündbarer Position kam zu mir mit einer Angstvorstellung. Ich sage deshalb Angstvorstellung, weil ich das Wort Psychose für falsch erachte, obwohl seine Ängste von den Psychiatern in diese Sparte eingereiht wurden. Als er zu mir kam erzählte er:

> *Es geht ihm so schlecht, er hat Angst aus dem Haus zu gehen, Angst irgendetwas zu machen, das etwas außerhalb seiner Gewohnheiten ist. Er hat Angst vor ...*

Zusammenfassend konnte ich feststellen, er hat vor allem Angst. Besonders vor dem Leben. Nach dem Aufbauen seines Selbstwertgefühls kam langsam aber sicher zu Tage, wo eigentlich die Ursache für seine Ängste liegt.

Er hatte jung geheiratet und hatte heute ein Haus und ein Auto, zwei nette Kinder und kann jedes Jahr ausgiebig Urlaub machen. Er hätte ein glücklicher Mann sein können. Ja, er *hätte* ein sehr glücklicher Mann sein können.

Wenn – ja wenn! Seine Frau hatte sich für ihr Leben mehr vorgestellt, als er ihr bieten konnte und das nahm sie ihm sehr übel. Unterschwellig suggerierte sie ihm das immer wieder ein. Dadurch wurde er immer ängstlicher, er wusste nie ob das, was er machte oder sagte, angenommen wird, in Ordnung war.

Quintessenz: Seine Frau hat ihre Unzufriedenheit mit ihrem Leben auf ihn übertragen. Sie zeigte ihm und den Freunden unterschwellig und auch direkt, durch ihr Verhalten, ihre Gesten und ihre Mimik – alles in ihrer Umgebung ist unter ihrem Niveau. Sie löste sich damit aus der Beziehung heraus und das machte ihm Angst.

Er zog sich immer mehr zurück, wagte kaum noch irgendetwas zu tun. Er ging nur mehr zur Arbeit, sonst kaum aus dem Haus und damit verlor er auch den Kontakt zu seiner Umgebung. Seine Angst lähmte ihn. Eigentlich müsste es heißen: seine Frau lähmte ihn im wahrsten Sinn des Wortes.

Was glauben Sie, was ich Ihnen nun rate? Prüfen Sie jede Ihrer neuen Erkenntnisse – von vorne und von hinten, von links und von rechts, von oben und von unten, ob das, was Sie erarbeitet haben, wirklich die Ursache dort hat, wo Sie die Ursache eingeordnet haben. Wenn Sie dann das Gefühl haben, Ihr Ergebnis ist *rund*, dann beginnen Sie mit der Korrektur Ihres Denkens, Fühlens und Handelns. Vor allem reden Sie, reden Sie mit den beteiligten Personen, wenn es um zwischenmenschliche Bereiche geht.

Sie sehen, es gibt immer einen Weg, etwas zu verändern, damit Sie Sie selbst werden können. Graben Sie Ihr SEIN aus, es lohnt sich.

In dem Moment,
wo Sie irgendeine Erkenntnis gewonnen haben,
dürfen Sie etwas ändern!

Programmierungen

Programmierungen laufen etwas anders, es sind Glaubenssätze, und die ersten werden uns meist vom Elternhaus eingeimpft. Ob positiv oder negativ, sie lassen uns das Leben durch dieses Programm sehen.

Positive Programmierungen werden sehr oft wenig beachtet, obwohl gerade in diesen Programmierungen ein sehr guter Weg zu mehr Menschlichkeit enthalten ist.

> *Bei einer Ausbildung in der Schweiz lernte ich einen jungen Mann kennen, der umwerfend wirkte. Wenn er einen Saal betrat, glaubte jeder, die Sonne ist aufgegangen. Wenn er sich jemandem zuwandte, dann hatte dieser seine volle Aufmerksamkeit und fühlte sich, in seinem So-SEIN, angenommen und akzeptiert. Er ist mit allen sehr liebevoll und respektvoll umgegangen. Jeder suchte seine Nähe.*

Ich komme heute noch ins Schwärmen wenn ich an diesen Kollegen denke. Nur, was war der Glaubenssatz, oder was waren die Glaubenssätze, die ihn, sein Wesen geprägt hatten.

Seit er denken kann, hat ihm seine Mutter immer wieder erklärt und auch vorgelebt:

- Achte die Natur und zerstöre nichts.
- Sei liebevoll zu allen Menschen, auch wenn sie dich ärgern.
- Lass jeden in seinem So-SEIN, er ist, wie er ist.
- Jeder hat andere Stärken, akzeptiere das.
- Jeder hat andere Veranlagungen, respektiere das.
- Jeder Mensch ist einzigartig, auch du, merk dir das.

Er durfte bereits als Kind diese positiven Leitsätze lernen und üben und ist dadurch zu dem Menschen geworden, den alle mochten und dessen Nähe so angenehm war. Leider haben sehr wenige Menschen schon in der Kindheit so positive Programmierungen gelernt und vorgelebt bekommen.

Viele Menschen werden erst im Laufe des Lebens auf ihre Programmierungen aufmerksam. Meist sind das negative, die die Entwicklung verhindern und das Leben erschweren. Denn einschränkende Glaubenssätze laufen ab wie Programme einer Waschmaschine. Wenn Sie auf den Startknopf drücken, beginnt das Programm einfach zu laufen und nur ein *stopp, ein bewusstes stopp* bringt das Programm zum Stehen.

Bei jeder Beratung tauchen negative Glaubenssätze auf, die verhindern, dass eine positive Veränderung der Lebenssituation stattfinden kann.

Um ein tatsächliches Umschalten zu erreichen, sobald der negative Glaubenssatz auftaucht, gebe ich dem Klienten ein Instrument in die Hand, das ein physisches und psychisches Umschalten ermöglicht. Einen kleinen Ein-Aus-Wippschalter, der bei den langen Stehlampenkabeln verwendet wird. Das Teilchen ist so klein, dass es in jeder Hosentasche oder Handtasche getragen werden kann.

Jedes Mal, wenn die negative Programmierung erkannt wird, schaltet der-/diejenige den Wippschalter in die andere Richtung. Er schaltet bewusst den negativen Glaubenssatz aus und den erarbeiteten positiven Gedanken ein. Die Handbewegung des Umschaltens unterstützt so das Umpolen auf den neuen Glaubenssatz und festigt diesen. Die körperliche Aktion unterstützt die gedankliche.

Programmierungen, die das Leben bestimmen, werden sehr oft in frühester Kindheit gelegt. Sie ziehen sich durch das weitere Leben, einzementiert und situationsbezogen, der negative Aspekt regiert das Leben.

Aus meiner Erfahrung möchte ich hier einige Beispiele für Programmierungen anführen, die unterschwellig jeweils das ganze Leben der Menschen bestimmten und sie immer wieder in ein Chaos der Gefühle stürzten.

Prüfen Sie, fühlen Sie in sich ein, ob die eine oder andere Geschichte ähnlich der Ihren ist.

> *Ein Klient ist sehr vorsichtig bei Entscheidungen, er trifft sie meist so spät, dass günstige Flüge und Hotels ausgebucht sind. Alle Erledigungen werden zum allerletzten Zeitpunkt in Angriff genommen und Handwerker werden so spät angerufen, dass im gewünschten Zeitraum die Reparaturen nicht durchgeführt werden können. Für gemeinsame Unternehmungen wird zehn Minuten vor Abfahrt angefragt, wenn jeder eigentlich seine Zeit, seinen Tag, sein Wochenende schon verplant hat ...*

Das waren die Situationen, die er schilderte, die sich für ihn zum Problem entwickelten, und die er gerne aufarbeiten wollte. Nun, das Ganze klingt vielleicht nicht so schlimm, und doch war es für ihn eine große Belastung. Diese Angst vor Entscheidungen beeinträchtigte seine Lebensqualität sehr. Er hatte dadurch Beziehungsprobleme, wenige Freunde und verbrachte seine Freizeit meist alleine.

Doch was steckte eigentlich dahinter? Die Angst, aktiv zu werden! Er hörte in seiner Jugend zu oft und zu viele negative Glaubenssätze, wie:

- Du kannst einfach nichts richtig machen.
- Alles was du machst, ist Blödsinn.
- Lass mich das lieber machen, du schaffst das sowieso nicht.
- Du bist einfach unfähig.
- Du bist lebensuntauglich.
- Kein Wunder, dass du keine Freunde hast, du Weichei!
- Glaubst du, dass ein Mädchen mit *dir* ausgehen will?
- … …

Aus Angst, er könnte sich verletzen, wurde ihm schon als Kind alles abgenommen, *er war ja noch sooo klein.* Er hatte dadurch nie die Möglichkeit, etwas auszuprobieren, neue Erfahrungen zu sammeln oder Aufregendes zu erleben. Er lernt aber auch nicht, mit Schwierigkeiten umzugehen und Niederlagen zu verkraften. Durch die Einstellung seiner Eltern wurde von Kindheit an jede physische und psychische Entwicklung verhindert.

Heute darf er alle negativen Glaubenssätze und die sich daraus ergebenden Probleme prüfen, betrachten, aufarbeiten und die neue Gedankenrichtung lernen und üben. Er darf:

- jeden Tag als neue Herausforderung sehen
- aus den anfänglichen Schwierigkeiten lernen
- mutig seine eigene Meinung vertreten
- sich Konfrontationen stellen

  und
- lernen, das Leben als lebenswert zu betrachten.

In Ihnen steckt noch viel mehr,
Energie, Kraft und Begabung,
als Sie bisher genutzt haben.

Nützen Sie diese Energie und Kraft, um einengende Programmierungen zu finden und zu löschen.

Lassen Sie sich auf noch eine Erzählung ein, eine Geschichte, die aus dem Leben gegriffen ist.

Eine Klientin hatte die Angewohnheit, jedes Gespräch an sich zu ziehen. Kaum dass irgendjemand einen Satz anfing, nahm sie ein Wort auf, redete sofort hinein und quatschte lustig drauflos. Auch das betretene Schweigen der anderen störte sie nicht, sie redete und redete, von A bis Z und zurück, unabhängig vom ursprünglichen Thema. Sie erzählte ihre Tages-, Wochen-, und Monatserlebnisse, Begegnungen und Erfahrungen, und redete, und redete, ... sie hatte ja so viel zu sagen ...

Nun, sie war das älteste Mädchen und von ihr wurde erwartet, dass sie die Mutter erfolgreich unterstützt und fallweise auch ersetzt. Sie selbst, als Mensch, als Persönlichkeit, wurde nie richtig wahrgenommen.

Als Kind fühlte sie sich auch nie verstanden und akzeptiert:

- weil Mädchen nichts wert sind
- keine Beachtung und Anerkennung brauchen
- nur dummes Zeug reden
- sowieso heiraten und nichts lernen brauchen.

Um alle diese Aussagen aus ihrer Kindheit zu kompensieren, agierte sie heute so, und kam dadurch wieder in die Situation, kaum akzeptiert und angenommen zu werden. Sie bekam auch heute wenig Beachtung, kaum Anerkennung und jeder fand, sie redet, um zu reden ... von irgendetwas. Das stimmte natürlich, sie war nämlich längst bei *Pontius und Pilatus* angelangt, weit ab vom ursprünglichen Thema.

Eine der schwierigsten Programmierungen der Kindheit ist Liebe und Anerkennung nur gegen Leistung. Diese Glaubenssätze:

- Du musst gut sein, sonst ...
- Du musst lernen, sonst ...
- Du musst besser sein als ...
- Wenn du das jetzt nicht machst, habe ich dich nicht lieb
- Schlimme Kinder kann man nicht lieb haben
- Immer muss ich mich für dich schämen
- Weil es dich gibt, kann ich das nicht tun
- Weil du geboren wurdest, muss ich ...
- Du bist schuld, dass ich keinen Partner habe
- Wenn du nicht brav bist, sperre ich dich ein
- ... ...

prägen Kinder unwahrscheinlich. Auch als Erwachsene versuchen sie dann, brav und angepasst zu sein. Sie erkaufen oder erarbeiten sich Liebe und Zuwendung über Leistung.

Die Glaubenssätze, die uns irgendwann einmal eingeimpft wurden, und von denen wir natürlich fest überzeugt sind, dass sie stimmen, beeinflussen unser Denken, Fühlen, Handeln und lähmen uns – oft ein ganzes Leben lang.

Kennen Sie auch Sätze wie,

- Das schaffst du nie.
- Du bist so ungeschickt.
- Du wirst nie was werden.
- Du hast hier nichts zu sagen.

- Du bist zu dick.
- Du bist vollkommen unnütz.
- Geh mir aus dem Weg!
- Was willst denn du?
- … …

oder

- Du hast schon in der Schule versagt.
- Lerne einen anständigen Beruf.
- Der Spatz in der Hand ist besser als die Taube auf dem Dach.
- Du bist nicht gut genug.
- Das kannst du sowie nicht.
- … …

Solche Aussagen programmieren Ihre Einstellung zu sich selbst und zu Ihrem Leben. Nur weil Ihnen das jemand immer wieder sagte, glauben Sie es. Dadurch wird es für Sie lebensbestimmend. Sie sehen alles durch die Brille dieser Glaubenssätze und diese Brille hindert Sie, Ihr Leben nach Ihren Vorstellungen zu gestalten. Denn Glaubenssätze steuern Ihr Leben. Welche Glaubenssätze beeinflussen Ihr Leben?

Es ist bei allen Glaubenssätzen jedoch einfach zu wenig, nur das Gegenteil zu manifestieren und zu glauben, der belastende, negative Glaubenssatz ist jetzt weg, die positive Formulierung hat die Programmierung gelöscht. Auch hier gilt, ansehen – aufarbeiten – umdenken. Zuerst sollten Sie wissen, welcher Glaubenssatz, in welcher Situation, Sie behindert und wie Sie tatsächlich gefühlsmäßig und verbal reagieren. Wie wirkt sich diese Programmierung auf Ihr Leben und Ihr Umfeld aus, und in welcher Form behindert Sie diese, harmonisch und glücklich zu leben? Erst nach so einer Aufarbeitung können Sie den neuen Glaubenssatz manifestieren.

Für mich ist das Erkennen solcher falscher Programmierung immer ein guter Ansatz, beim Klienten zu hinterfragen:

- Welches Geschenk hat das Leben Ihnen damit beschert?
- Welche Eigenschaften haben Sie dadurch entwickelt?
- Was wurde in Ihnen dadurch gestärkt?
- Wofür dürfen Sie dankbar sein?
- … …

Nichts im Leben war umsonst, auch durch *falsche* Glaubenssätze und Programmierungen durften Sie etwas lernen – und wenn es nur das Erkennen und Umdenken ist.

Das Geheimnis
auch der großen und umwälzenden Aktionen
besteht darin,
den kleinen Schritt herauszufinden,
der zugleich auch ein strategischer Schritt ist,
indem er weitere Schritte
einer besseren Wirklichkeit
nach sich zieht.

Gustav Heinemann

Prägungen

Die letzte Gruppe der verschiedenen oder möglichen Verursacher, die Ihr Leben beeinträchtigen können, sind Prägungen. Für mich entstehen diese durch unterschwellige Verhaltensweisen, Emotionen und durch die entsprechenden Reaktionen der Menschen.

Ich möchte Ihnen erklären, was ich damit meine, damit Sie, in Ihrem Leben, Ihrem Wesen, Ihrer Seele, nach möglichen Prägungen forschen können.

Manche Verhaltensweisen sind Unzulänglichkeiten, die nicht durch Sprache, sondern durch Mimik und Gestik zum Ausdruck gebracht werden.

> *Mein Gesprächspartner war ein sehr gebildeter junger Mann, mit dem ich mich sehr gerne unterhalten habe. Er war klug, witzig und sehr fröhlich, er hatte nur eine Prägung, die Menschen, die ihn nicht kannten, sehr unangenehm berührte.*
>
> *Jedes Mal, wenn jemand eine Meinung von sich gab oder etwas zu einem Gespräch beisteuerte, das sich nicht mit seinen Erkenntnissen deckte, spürte man förmlich, wie er eine Mauer um sich herum aufbaute und vollkommen unnahbar wurde – ohne dass es ihm bewusst wurde.*

Des Rätsels Lösung war: Seine Mutter hatte das auch immer gemacht. Wenn sein Vater etwas tat, sagte oder wollte, womit sie nicht einverstanden war, so baute sie eine Mauer um sich herum auf, eine unsichtbare jedoch undurchdringliche Mauer. Sie konnte einfach keine Widerrede, kein Gegenargument, keinen Einwand vorbringen. Sie hatte vielleicht auch nicht die Kraft, sich auf eine Diskussion einzulassen. Sie schwieg einfach – und das sehr beharrlich.

Hier könnte schon die Mutter eine Prägung aus ihrem Elterhaus gehabt haben, die sich über die Generation fortsetzte. Kinder sind sehr feinfühlig, sie spüren, wenn in ihrem Umfeld irgendetwas nicht richtig läuft.

Dieses unterschwellige Verhaltensmuster, das der junge Mann als Kind bei seiner Mutter spürte, prägte ihn. In ähnlichen oder gleichen Situationen verhielt er sich heute noch so, wie er es von seiner Mutter vorgelebt bekommen hatte.

Ein Aspekt war bei diesem jungen Mann auch noch sehr wichtig, sein Vater war sehr dominant. Als Heranwachsender hatte dieser Mann auch nie gelernt, akzeptiert, angenommen und gehört zu werden. Er konnte auch nie eine eigene Meinung ausprobieren. In diesem Fall kam zu der Prägung, die seine Mutter ihm vorlebte und weitergab, eine Programmierung durch den Vater.

Prägungen durch Emotionen hingegen sind sichtbar gewordener Unmut. Bleiben wir bei dem Beispiel mit dem jungen Mann. Angenommen, die Mutter hätte keine Mauer um sich herum aufgebaut, sondern ihren Unmut durch Emotionen zum Ausdruck gebracht, durch ihre Mimik und ihre Körpersprache. Sie hätte ihre Reaktion auf diese Situation über ihre Gefühle ausgedrückt, jedoch noch immer keine verbale Aussprache und keine Diskussion geführt, sondern ihre Missbilligung nur über ihre Körpersprache zum Ausdruck gebracht.

Einer meiner Klienten, ein sehr umgänglicher, netter Mann, hatte die Angewohnheit, sobald ihm irgendetwas gegen den Strich ging, ganz stolz den Kopf zu heben und wie ein Vogel Strauß durch die Gegend zu staken. Seine Grundeinstellung ist in diesem Moment: Ich bin ich, lasst mich in Ruhe.

Diese Haltung ist für ihn Selbstschutz, er demonstriert damit seinen Unmut gegen eine neue Situation, gegen andere Meinungen oder Ansichten. So reagierte auch sein Vater gegen die dominante Mutter, mit Schweigen, Abschotten und dem Aufbau einer undurchdringlichen Mauer.

Eine Klientin, eine hübsche 28-Jährige, verheiratet, eine Tochter, macht sich das Leben unwahrscheinlich schwer. Laut ihrer Aussage schaut ihr Mann jeder Frau nach – nur nach ihrer Aussage, die Freunde sind da ganz anderer Meinung. Sie hat so viel Gewicht reduziert, dass sie schon untergewichtig ist, hat sich die Haare blond gefärbt und lässt sich jetzt den Busen vergrößern ...

Auf meine Frage, warum sie das alles macht, bekam ich zur Antwort: Damit er mich liebt und nie eine andere Frau anschaut.

Was ist der Grund für ihre Angst? Ihr Vater hat ihre Mutter nach Strich und Faden betrogen und ihr soll das nicht passieren. Sie reagiert also jetzt, in ihrer Ehe, auf das duldsame Schweigen ihrer Mutter und fällt in ein anderes Extrem. Ihrer eigenen Tochter lebt sie jetzt vor, nur überschlanke, blonde, vollbusige Frauen können geliebt werden. Damit bringt sie einen zusätzlichen, neuen Prägungsstamm in die Familienlinie.

Wenn in einer Partnerschaft die Gefühle ungleich verteilt sind, übernimmt oft ein Kind die Rolle eines Elternteils. Es umsorgt den Elternteil, von dem es glaubt, er bekommt zu wenig Aufmerksamkeit, zu wenig Beachtung, zu wenig Gefühle, als Ausgleich besonders intensiv. Es identifiziert sich mit dem Unterversorgten, dem Verlassenen, dem Unbeachteten.

Das Kind kann sich jedoch auch mit dem starken Elternteil verbinden. Entweder weil es sich selbst schwach fühlt, Schutz und Fürsorge wünscht, oder weil es vom schwachen Familienmitglied Abstand nehmen möchte, um selbst nicht als schwach zu gelten. Gleich welche Ausgangsposition für die eigene Entwicklung in der Jugend vorherrschte, es wird als Prägung in die eigene Partnerschaft mitgenommen und dort gelebt, bis es erkannt wird.

Bei Prägungen können aber auch Verhaltensweisen und Emotionen durch Reaktionen sichtbar werden. Wenn eine verbale oder körperliche Prägung vorliegt, kann oft der geringste Anlass eine Reaktion hervorrufen. Alles was an Angst, Hass, Zorn, Wut und Unvermögen, die Situation anders zu lösen, in dem Menschen steckt, kommt zum Ausbruch. Das werden prügelnde und brüllende Menschen, die dem Nächsten, meistens den Kindern, seelische und körperliche Gewalt zufügen, weil sie mit ihrem eigenen Leben nicht zurechtkommen.

Es gibt so viele verschiedene Muster und Auswirkungen von Generalisierungen, Prägungen, Programmierungen und Vorstellungen, und jede, auch die kleinste, hindert Sie im Fluss des Lebens zu sein und Harmonie, Glück und Zufriedenheit zu leben.

Jeder kann jederzeit etwas aus dem machen,
was aus ihm gemacht wurde.

Gelebte Muster

Ob Glaubenssatz, Einstellung oder gelebte Muster, erst wenn Sie eine Veränderung *wirklich* möchten, können Sie an die Hinterfragung herangehen. Sie sollten alles das, was Ihnen bewusst geworden ist oder immer wieder auftaucht, in kleine Häppchen teilen, untersuchen und Stück für Stück eine Änderung herbeiführen. Je tiefer Sie graben, je ehrlicher Sie zu sich selbst sind, umso schmerzhafter könnte das Hinsehen werden, jedoch umso leichter werden Sie sich anschließend fühlen.

Das ist, wie wenn Sie ein großes Puzzle zusammensetzen. Ein Teilchen finden, ihm den Platz zuweisen, noch eines finden und platzieren, und noch eines. Vielleicht müssen Sie einmal ein Teilchen auch etwas verschieben, damit das Bild der Erkenntnis klarer wird.

Aus Erfahrung weiß ich, dass oft einige Anläufe notwendig sind, um den richtigen Ansatz zu finden, die Tür zu sehen, die Sie in eine neue Erlebniswelt führt. Seien Sie neugierig, öffnen Sie die großen und kleinen Türen zur Erkenntnis. Finden Sie Ihren Weg trotz der tiefen Spuren, die das Leben Ihrer Seele zufügte. Lassen Sie zu, dass die Prägungen anfangs immer wieder und wieder zum Vorschein kommen, irgendwann wird es leichter, es wird weniger schmerzhaft und der Weg Ihres Lebens wird angenehmer.

Bedenken Sie immer, was ein Baby kann, können Sie doch auch, oder? Wenn ein Baby laufen lernt, kann es die geringste Unebenheit im Boden, jedes kleinste Hindernis, jede schreckhafte Situation aus dem Gleichgewicht werfen und plumps sitzt es auf seinem kleinen Hinterteil. Das stört das Baby aber kaum, es steht wieder auf und plumps, und steht wieder auf ... so lange, bis es richtig laufen kann. Das können Sie doch auch?

Der Lebensweg mit seinen Unebenheiten, Hindernissen und Schwierigkeiten ist eine Straße der Erfahrung, auf der Sie immer wieder ähnliche Steine finden. Oft werden Sie stolpern und Narben davontragen, nur, das gehört zu Ihrem Leben, Ihrem einmaligen Leben.

Auch werden Sie bei der Suche nach Ihrem wahren Selbst einige schmerzhafte Erfahrungen machen. Wenn alte Wunden aufgerissen werden und Sie die Narben der Verletzungen ansehen, bewusst ansehen. Versöhnen Sie sich dann mit der Situation, versöhnen Sie sich auch mit dem, der Sie verletzte, tatsächlich oder, wenn nicht anders möglich, in Gedanken. Verzeihen Sie ihm oder ihr und sich selbst die Situation, das Geschehnis, besonders, wenn Sie eine Mitschuld an der ehemaligen Situation haben. Durch das bewusste Hinsehen und Verzeihen verliert die Prägung, die Spur, die Narbe ihren starken Einfluss auf Sie und Sie sind wiederkehrenden Situationen nicht mehr so hilflos ausgeliefert.

Auch werden die kleinen und großen Narben, die Ihnen durch Programmierungen und Prägungen zugefügt wurden, bleiben. Durch das konsequente Aufarbeiten werden sie jedoch blasser und weniger schmerzhaft, und vor allem, Sie sehen die Situationen irgendwann sicher mit anderen Augen – das hilft.

Fragen Sie sich auch:

- Warum habe ich das zu dieser Zeit erlebt?
- Was habe ich in dieser und durch diese Situation gelernt?
- Welches Geschenk liegt in der Situation?
- Wie baue ich das jetzt in mein Leben ein?
- Was ändert sich dadurch?
- Wem darf ich dafür dankbar sein?
- … …

Eine junge Frau wollte auch das Geschenk auspacken, das für sie in dieser Lebensphase steckte.

> *Sie hatte sehr jung geheiratet, direkt von der gut behüteten Kinderstube in die Ehe. Ihr Mann behandelte sie wie ein kleines, dummes Kind, das für ihn kochen, putzen und waschen durfte.*
>
> *Sie hatte kaum genügend Ansprache, keinen Freiraum, keine gemeinsamen Freizeitaktivitäten und bekam sehr wenig Zuwendung.*

Welche seelische Verletzung hat ihr ihr Mann damit zugefügt? Er hat sie ausgenutzt, er hat ihre Unbedarftheit ausgenutzt zu seinem Vorteil.

Nun überlegen Sie bitte einmal, welche Geschenke durfte sie auspacken? Sie durfte lernen

- für sich selbst Verantwortung zu übernehmen
- selbst an sich zu denken
- für sich einzustehen
- den Kokon zu sprengen, in dem sie lebte
- aktiv zu werden (nicht andere machen zu lassen)
- ... ...

Sehr zum Entsetzen ihrer Eltern hat sich die junge Frau scheiden lassen. Sie hat Verantwortung für sich selbst und ihr Leben übernommen und ist aktiv geworden. Jetzt lebt sie wohl allein – aber glücklich.

Arbeiten Sie Ihre gelebten Muster auch auf, nennen Sie die Verletzung beim Namen – Hilflosigkeit, Unachtsamkeit des Nächsten, eigene Mutlosigkeit, Angst vor ..., keine Anerkennung, Lieblosigkeit, keine Beachtung, Versagensangst oder was immer es ist – und die Verletzung wird ihre tief greifende Macht verlieren. Denken Sie an das Märchen vom Rumpelstilzchen. Sobald die Prinzessin den Namen kannte, hatte das Rumpelstilzchen seine Macht verloren.

Wenn Sie Ihre gelebten Muster, Programmierungen und Glaubenssätze Stück für Stück aufarbeiten, werden Sie Stück für Stück neue Erfahrungen machen. Tun Sie es, beginnen Sie, den effektivsten Weg herauszufinden, wie Sie Ihr Selbst voll entwickeln und ausleben können, als glücklicher, zufriedener Mensch.

Aus den Steinen, die einem in den Weg gelegt werden,
kann man ein wunderschönes Haus bauen.

Johann Wolfgang von Goethe

Verallgemeinerungen

Unabhängig von behindernden Vorstellungen, Generalisierungen, Programmierungen und Prägungen lassen wir uns auch oft kollektiv Mangeleinstellungen einreden. Verallgemeinerungen in Bezug auf Politik, Klima, Wirtschaftslage, Umwelt, Ausländer werden übernommen, weil die Medien oder die Politiker, der ach so kluge Nachbar oder der studierte Bekannte es sagen und die es ja eigentlich wissen müssten, oder?

Was ist, wenn das nun nicht stimmt, was alle erzählen und wir nur die vorgefassten Meinungen und Überzeugungen, einer vom andern übernehmen und damit die Negativität erhöhen? Denn das, was wir ungeprüft glauben und annehmen und an unsere Seele heranlassen, macht uns unfrei für eigene Entscheidungen und bindet uns an das kollektive Denken.

Bleiben Sie aufgeschlossen für Neues und hinterfragen Sie das, was Sie wirklich interessiert. Ihre alten, übernommenen Anschauungen sollten Sie betrachten und prüfen und wenn Sie diese als unbrauchbar, überholt, unnötig, falsch oder nicht mehr interessant erkannt haben, dann eliminieren Sie diese.

Alte Anschauungsmuster und übernommene Verallgemeinerungen, besonders wenn diese mit Emotionen belegt sind, hindern Sie daran, sich für neue Ideen, Wissensgebiete und Lebenseinstellungen zu interessieren. Angst und Sorgen sind solche Emotionen. Sorgen machen Sie sich nur, wenn Sie das Gefühl haben, Sie selbst, Ihre Familie, Ihre Existenz, Ihr Job ist bedroht, dann kümmern Sie sich angstvoll nur mehr um diese Bedürfnisse. Sie drehen sich wie ein Kreisel in einer Negativspirale und Ihre Angst und Ihre Sorgen werden immer größer.

Sobald Ihnen jemand einredet, der Wirtschaft gehe es schlecht, dann fühlen Sie sich wahrscheinlich in Ihrer Existenz bedroht und werden sich vorsichtshalber einmal abschotten. Entziehen Sie sich solcher negativer, pessimistischer und manchmal uninformierter Strömungen, machen Sie sich eigene Gedanken und informieren Sie sich. Überhören Sie einfach Verallgemeinerungen wie

- der Wirtschaft geht es schlecht
- man muss schwer arbeiten, um durchs Leben zu kommen
- kein Mann hilft im Haushalt
- Frauen können nicht sachlich bleiben
- nichts fällt einem in den Schoß
- Frauen sind für höhere Positionen ungeeignet
- nur Männer können logisch denken
- … …

Ich habe hier, verständlicherweise und vollkommen bewusst, Verallgemeinerungen über Ausländer, aus Politik, der Umwelt und Religionen herausgelassen.

Denken Sie einmal nach, wo überall verallgemeinert wird und vor allem darüber, wie schnell so eine *Stille Post* funktioniert. Sie kennen das sicher, die Boulevardpresse kann das ganz super. Eine Zeitung schreibt etwas über einen Prominenten, eine andere nimmt den vermeintlich richtigen Text auf und schon wird dieser Prominente in einen Topf geworden mit scheinbar Gleichen. Alle Musiker sind …, alle Möchtegern-Sternchen tun …, alle Radsportler do…, ja – jetzt ist es genug.

Sie wissen, was ich mit Verallgemeinerungen meine und ich weiß, Sie machen so etwas nie mehr!

Angst erzeugen durch Drohungen

Angst erzeugen durch unterschwellige, gut versteckte, jedoch offensichtliche Drohungen, das wird zurzeit im Wirtschaftsleben sehr oft und auch Erfolg versprechend praktiziert. Damit schlagen die Wirtschaftsbosse genau in dieselbe Kerbe, die uns im Elternhaus schon zugefügt wurde:

- Wenn du das nicht so machst, dann ...
- Entweder du machst das, oder ich ...
- Wenn du das nicht sofort erledigst, dann ...
- Ja wenn du nicht willst, dann ...
- ... ...

Nur, glauben Sie wirklich, dass man Menschen mit solchen Angst erzeugenden Ankündigungen zu mehr Leistung anspornen kann? Verständnis für eine notwendige Umstrukturierungs-Situation erwarten darf?

Wie sehr haben Sie in Ihrer Kindheit unter solchen Aussagen und Ankündigungen gelitten? Je kleiner Sie waren, umso weniger haben Sie wahrscheinlich verstanden, warum es plötzlich Einschränkungen gibt, warum Bedingungen gestellt werden, wieso plötzlich Drohungen im Raum stehen ...

Dieses Angst Erzeugen durch Drohungen ist leider auch unter Erwachsenen gang und gäbe. Damit wird Macht über den Partner ausgeübt, der Ausübende fühlt sich dann überlegen. Die Betonung liegt auf fühlt, denn er kann damit

- seine eigene Unsicherheit kaschieren
- seine eigene Unfähigkeit, mit einer Situation umzugehen, verstecken
- seine eigene Angst überdecken

- eine falsche Überlegenheit demonstrieren
- seine unechte Machtposition untermauern
- seine Dominanz präsentieren
- von sich selbst ablenken
- … …

Es gibt viele Auslöser für solche Drohungen. Als Gegenstück wird aber immer jemand gebraucht, den man auch bedrohen und einschüchtern kann. Oft bringt erst das Angstgefühl des anderen solche Menschen zum Handeln.

Wobei diese Menschen natürlich ein Abbild ihrer Denkgewohnheiten und Assoziationen leben, die auch ihnen irgendwann, wahrscheinlich durch Glaubenssätze, injiziert wurden.

Durch unsere Denkgewohnheiten
können wir ein Paradies zur Hölle machen
und die Hölle zum Paradies.

Mensch-Sein

Zum Mensch-Sein gehört die Freiheit, in jeder Situation Entscheidungen treffen zu dürfen und die Verantwortung für die Entscheidungen zu übernehmen. Sie dürfen Abstand nehmen von Dingen, die Sie belasten, einengen, und in der Entwicklung hemmen.

Nehmen Sie Ihr Leben in die Hand, jetzt, sofort und Sie werden sehen, alles wird von Tag zu Tag besser.

Es ist besser ein kleines Licht anzuzünden,
als über die Dunkelheit zu schimpfen.

Laotse

Beginnen Sie konsequent und regelmäßig, sich mit sich selbst zu beschäftigen. Nehmen Sie ein großes Heft und schreiben Sie Ihre Erkenntnisse, Gedanken, Fragen hinein. Einfach so, wie es Ihnen in den Sinn kommt, es wird ein roter Faden durch Ihre Aufzeichnungen laufen und Ihnen nach einiger Zeit die Möglichkeit zu gravierenden Schlussfolgerungen geben.

Arbeiten Sie bitte vorurteilsfrei! Achten Sie darauf, den Menschen, die Sache in keiner Form zu bewerten und keine Schuldzuweisungen zu machen, an nichts und niemanden! Es ist, wie es ist, Sie haben Ihre Rolle in diesem Leben so gewählt, Sie dürfen jetzt etwas ändern. Keine negativen Gefühle, kein Hass, kein Zorn, betrachten Sie die Situation so, wie sie jetzt ist und korrigieren Sie diese. Stoßen Sie bitte weder Ihren Partner noch Ihre Kinder, Eltern oder andere Personen vor den Kopf. Kommunizieren Sie liebevoll in Ich-Form und mit der Fragetechnik. Beide Themen in späteren Kapiteln.

Wenn Sie schon einen Teil Ihrer behindernden Vorstellungen, Generalisierungen, Programmierungen und Prägungen gefunden, durchleuchtet und vielleicht auch schon korrigiert haben, dann sind Sie bereits auf dem Weg, Ihr Selbst aufzubauen. Sie werden Ihr eigenes, riesengroßes Potential erkennen und ausschöpfen.

Sollten einmal zu viele Prägungen, Programmierungen oder Spuren an die Oberfläche Ihrer Seele kommen und Sie sehr belasten, dann halten Sie kurz inne, atmen Sie einige Male tief durch und

- sehen Sie einfach aus dem Fenster
- betrachten Sie die Wolken am Himmel
- die Blumen im Garten
- hören Sie sich Ihre Liebklingmusik an
- vertiefen Sie sich in ein schönes Bild
- gehen Sie spazieren
- freuen Sie sich über den Sonnenschein
- ... ...

Dieses kurze Innehalten und Betrachten gleicht Ihre aufgewühlte Erinnerung etwas aus und wird in Ihnen das Gefühl wachrufen, *Teil dieser wunderschönen, lebenswerten und liebenswerten Welt zu sein* – und Sie werden sich besser fühlen.

Glaube ist der Vogel, der singt,
wenn die Nacht noch dunkel ist.

Unsere Lebenslektionen basieren auf mentalen und emotionalen Erfahrungen, erlauben Sie sich, das nochmals zu durchleben. Wägen Sie beim Aufarbeiten das Für und Wider ab und treffen Sie eine Entscheidung. Sie werden Vieles, das bisher Ihr Leben bestimmte, ändern und Manches ersatzlos streichen. Gestatten Sie es sich, sich neu auszurichten – Sie werden sich wirklich gut fühlen.

Betrachten Sie Ihr Leben auch einmal wie einen Film, so wie es ist und so, wie Sie es sich eigentlich einmal vorgestellt haben. Aus diesem Gegensatz von *so ist es* und *so wollte ich es eigentlich haben* entsteht eine Spannung. Die Spannung der Gegensätze, und diese Spannung ist eine gute Chance für Ihr neu gestaltetes Leben.

Grämen Sie sich auch nicht, wenn Sie glauben, in der Vergangenheit falsche Entscheidungen getroffen zu haben. Klagen, Selbstvorwürfe und -zweifel über Vergangenes minimiert Ihre Selbstsicherheit, schmälert Ihr Selbstbewusstsein und raubt Ihnen Mut und Kraft für Ihr jetziges Leben.

Zu dem Zeitpunkt, als Sie damals die Entscheidung getroffen haben, war diese, genau diese Entscheidung, für Sie gut und richtig. Damals war es das Beste, was Sie tun konnten und demnach auch die richtige Entscheidung. Vielleicht würden Sie aus heutiger Sicht etwas anders machen. Aus heutiger Sicht! In der Zwischenzeit haben Sie ja auch mehr Erfahrung.

Wie oft sind es erst die Ruinen,
die den Blick freigeben auf den Himmel.

Viktor E. Frankl

Es ist, wie es ist. Und sollte eine Entscheidung von damals wirklich gravierende Folgen gehabt haben, so ist in der Situation ein Geschenk für Sie verpackt, ein Lernschritt oder eine Erfahrung. Etwas, das Sie nur durch diese Situation lernen und erfahren konnten, und für Sie garantiert eine Bereicherung Ihres Lebens, Ihrer Entwicklung war. Sie können das Geschenk heute noch auspacken oder haben Sie das schon getan? Haben Sie erkannt, wie wichtig das Ergebnis dieser Situation für Sie war, worin der Lernschritt, die Bereicherung für Ihr jetziges Leben lag?

Fragen Sie sich:

- Was war der Auslöser dieser Situation?
- Was entstand aus dieser Situation?
- Wer war alles beteiligt?
- Wie war das Endergebnis?
- Was habe ich dadurch lernen dürfen?
- Wie hat das neu Gelernte mein Leben verändert?
- Was hätte ich nie gelernt, wenn die Situation eine andere gewesen wäre?
- … …

Vielleicht durften Sie lernen, aktiv zu werden, Verantwortung zu übernehmen oder eigene Entscheidungen zu treffen. Mag sein, Sie haben ehrliches Mitgefühl erlebt und spontane Hilfsbereitschaft und herzliche Zuwendung erhalten oder großzügige Unterstützung. Irgendetwas in dieser Situation war für Sie und Ihr Leben sehr wichtig und erfahrenswert.

Je größer der Abstand ist
aus dem heraus man sich betrachtet,
umso deutlicher kann man erkennen
die Tiefen und Weiten seiner Wirklichkeit.

Am Ende jeder Besprechungsstunde lasse ich meine Klienten aufgrund der in dieser Stunde erarbeiteten Erkenntnisse einen Merk- oder Denksatz formulieren. Dieser Satz soll kurz, prägnant und sehr klar formuliert sein. Er begleitet ihn/sie bis zum nächsten Treffen als Leit-, Lebens- oder Arbeitsmotiv.

Nach einem längeren Gespräch formulierte eine Klientin eines Tages einen Satz wo ich sagte: Wow, jetzt hat sie es erkannt! Es war fantastisch, was sie und wie sie es formulierte, es war die Lösung Ihrer Schwierigkeiten.

Auf meine Frage: Wo beginnst du jetzt mit der Umsetzung? Kam nur ein „... ähhhh!“. Der Supersatz war die Endlösung! Um dorthin zu kommen, musste sie noch viele kleine Schritte machen und den ersten begannen wir sofort zu formulieren.

Alles Wissen, alle Erkenntnisse und alle Lösungen liegen bereits abrufbereit – in Ihrem Unterbewusstsein und Ihrer Seele. Nur bedenken Sie bitte, sobald Sie eine Erkenntnis ausgegraben haben, prüfen Sie, ob die Sache wirklich *rund* ist. Ob der erste Schritt oder die erste Veränderung für Sie durchführbar ist. Heute oder spätestens morgen und nicht erst in einigen Monaten oder Jahren. Wenn Ihnen ein *ja, wenn* oder *ja, dann* einfällt, ist das Ziel der Entwicklung, aus heutiger Sicht, zu hoch oder zu schwierig. Der erste Schritt soll *jetzt, hier und heute* für Sie wirklich machbar sein.

Egal aus welcher Zimmerecke Sie die Entdeckung, die gewünschte Veränderung ansehen, es muss sich für Sie gut, aufbauend, bereichernd und machbar anfühlen. Wenn ein „... *ähhhh!*“ entsteht, beginnen Sie bitte nochmals von vorne. Am besten erst in einigen Tagen, damit

damit Sie zu der jetzigen Gedankenschiene etwas Abstand gewinnen.

Während Sie die Sache ruhen lassen, wird Ihr Unterbewusstsein für Sie weiterarbeiten und eine machbare Lösung vorbereiten. Oft kommt dann plötzlich ein Gedankenblitz, schreiben Sie den auf und arbeiten Sie mit dieser Eingebung weiter, damit Ihr Selbst zum Durchbruch kommen kann.

Ausdauer und Geduld

Einen Bambus zu pflanzen, erfordert Langzeitdenken und Vertrauen. Zuerst werden Sprossen in die Erde gegraben, danach wird die Erdoberfläche mit Heu bedeckt.

Jeden Morgen wässert der Farmer die Sprossen, die er noch nicht einmal sehen kann. Er entfernt das Unkraut und lockert den Boden. Jeden Morgen muss er gießen, vier Jahre lang.

Vier lange Jahre, in denen er seine Sprossen nicht einmal sehen kann und in denen er nicht weiß, ob seine Mühe endlich belohnt wird. Er weiß nicht einmal, ob sie noch leben.

Dann endlich, am Ende des vierten Jahres, brechen die Sprossen durch die Erdoberfläche – und dann wachsen sie innerhalb von nur 90 Tagen ganze 20 Meter.

Ich-Form und Fragetechnik

Sollte es für Sie schwierig sein, in Ihren Programmierungen zu kramen, Sie an keine prägenden Informationen herankommen, dann schreiben Sie sich die Erlebnisse und Situationen auf, die für Sie mental oder emotional unklar sind, und fragen Sie Personen, die in dieser Zeit mit Ihnen lebten. Sie werden Gedankenansätze erhalten, andere Sichtweisen erfahren und sicher wieder ein kleines Puzzle-Teilchen bekommen. Fragen Sie, fragen Sie, auch wenn die Ausgangssituation vielleicht schwierig sein kann.

> *Eine meiner Klientinnen hatte eine sehr dominante Mutter, nichts konnte sie ihr recht machen, immer war die Mutter am Schimpfen, Nörgeln und Beschuldigen. Die Klientin schwieg zu allen Anschuldigungen, Beleidigungen und Bosheiten, litt jedoch sehr darunter. Die Besuche wurden für sie zu einer so großen seelischen Belastung, sie ging kaum mehr hin.*

Eine Möglichkeit, diese Situation aufzulösen war, die Gedanken der Mutter vom Beschuldigen, Nörgeln und Schimpfen auf *Lösungen* umzustellen – durch Fragen, lächelnd, höflich und interessiert:

- Ich mache das jetzt schon so lange so, wie hast denn Du das immer gemacht?
- Kannst du mir sagen, wie ich das besser machen kann?
- Ich konnte das noch nie richtig, zeig´ mir das.
- Was möchtest du von mir, was soll ich tun?
- Wie möchtest Du den heutigen Tag verbringen?
- Wie kann ich dir helfen, es dir bequemer machchen?
- … …

So konnte sie die Mutter ablenken von dem Geschimpfe und der Nörgelei. Ihre Gedanken wurden anderweitig beschäftigt und am Wissen der Mutter konnte sie auch noch partizipieren. Es entstand, durch die *interressierte* Fragetechnik, ein Miteinander und ein Austausch an Erfahrungen. Sie ging nicht mehr nur hin, weil ein Besuch bei der Mutter fällig wurde. Sie ging hin, weil sie endlich eine Beziehung zu ihrer Mutter aufbauen konnte. Es wur-de ein gegenseitiges Erklären und Helfen, und eine Bereicherung für beide. Eine gute Ausgangsposition für sie, einige Kindheitserinnerungen, die bei ihr tiefe Spuren hinterlassen haben, zu klären.

Die Voraussetzung, um neue Wege zu gehen,
ist ein Prozess der Veränderung
von Denk- und Verhaltensgewohnheiten.

Begegnen Sie jedem Geschimpfe, jeder mürrischen Antwort, jeder Anschuldigung mit einer Frage, statt missmutig oder pampig darauf zu reagieren:

- Ich weiß ich habe einen Fehler gemacht. Wie hätte ich ihn verhindern können?
- Wo hätte ich nachsehen, mir Gewissheit holen können?
- Das wusste ich nicht, kannst du mir jetzt helfen?
- Darf ich das bitte so machen?
- Soll ich das wirklich so machen?
- Was möchtest du zuerst tun?
- Wie stellst du dir den heutigen Tag vor?
- … …

Bei Nörgeleien und Quengeleien, besonders von älteren Personen, steht oft eine Bedürfnisbefriedigung dahinter.

Das kann ein Wunsch nach mehr Aufmerksamkeit sein, angenommen und gefragt werden, Unzufriedenheit und Einsamkeit. Sollte eine Bedürfnisbefriedigung der Auslöser für ein ewiges Herumgrummeln sein, dann hilft nur eine vorsichtige, zarte und liebevolle Hinterfragung.

Sehr oft ist es Eltern auch unangenehm, auf die Fragen der Kinder zu antworten. Besonders, wenn es sich um familiäre oder eheliche Situationen und deren Auswirkungen auf die Familie und die Kinder handelt. Hier hilft nur die Ich-Form:

- Ich habe die Situation damals so erlebt, wie sahst du sie ...
- Ich fühlte mich angegriffen ...
- Ich fühlte mich ungeliebt ...
- Ich fühlte mich zu wenig beachtet ...
- Ich war so betrübt ....
- Es hat mir so weh getan ...
- Ich fühlte mich unverstanden ...
- Für mich war diese Situation furchtbar ...
- Für mich war dieser Urlaub grauenvoll ...
- ... ...

Wenn Sie so vorgehen, wird für Sie ein wichtiges Teilchen zutage kommen, die Sichtweise des anderen. Schreiben Sie das Ergebnis jedes diesbezüglichen Gespräches auf, es wird Ihnen helfen, einen umfassenderen Überblick über Ihr Fragegebiet zu bekommen. Das hilft Ihnen sicher weiter.

Ich habe folgenden Spruch aus China gelesen

Jedes Ding hat drei Seiten:
eine, die du siehst, eine, die ich sehe
und eine, die wir beide nicht sehen.

Dieser Spruch drückt sehr schön das aus, was ich Ihnen ans Herz legen möchte. Der andere hat aus seiner Sichtweise immer recht. Er hat das so gesehen, oder so in Erinnerung. Bedenken und beachten Sie, jeder Mensch geht an das Leben, den Beruf, die Partnerschaft mit einer bestimmten Vorstellung heran, die vorgelebt, anerzogen oder emotional vermittelt wurde. Durch diese Brille sieht er sein Leben, seine Erinnerungen, seine Vergangenheit.

Über schwierige Situationen hat die Seele auch oft einen mildtätigen Schleier gelegt und das ist für den Betreffenden, so wie es ist, gut und richtig. Akzeptieren und respektieren Sie das. Stellen Sie weiter Ihre Ich-Fragen, vielleicht wird Ihnen jemand anderer weiterhelfen oder Ihr Unterbewusstsein liefert Ihnen das Puzzle-Steinchen automatisch.

Keiner versteht den anderen ganz,
weil keiner bei demselben Wort
genau dasselbe denkt wie der andere.

Johann Wolfgang v. Goethe

Sichtweisen ändern

Jede Zeile die bis hierher in diesem Buch steht, sollte Ihnen eine Möglichkeit aufzeigen, Ihr Selbst zu befreien. Ihnen helfen, Begrenzungen, Vorstellungen, Programmierungen und Prägungen, die Sie und somit Ihr Leben einschränken, zu zerreißen. Damit Ihre Begegnungen mit sich selbst und anderen leichter und bereichernder, werden. Ich hoffe, Sie waren schon sehr fleißig und haben jetzt schon viele neue Erkenntnisse gewonnen.

Sobald sich der Geist eines Menschen
einen neuen Horizont erschlossen hat,
kehrt er nie mehr
in seinen vorigen Zustand zurück.

Nun dürfen Sie Ihre Sichtweise auf das Leben ändern, denn:

Wenn Sie immer auf dem gleichen Stuhl sitzen,
immer in der gleichen Position,
werden Sie Ihr Leben immer
aus derselben Perspektive sehen.

Position zu wechseln, neue Perspektiven auszuprobieren, das ist für viele schwieriger, als sie glauben.

Ich habe bei einem Seminar die Teilnehmer mit dem Gesicht zur die Wand stehen lassen, in einem Abstand von ca. 50 cm. Sie sollten genau betrachten, was sie in dieser Position sahen. Wie die Wand tatsächlich aussah, mit den komischen dunklen Leisten, mit den Farb- und

Gebrauchsspuren und vor allem, wie sie sich in dieser Position fühlten, so nahe an der Wand, ohne direkten Fluchtweg. Anschließend sollten sie sich um 90 Grad drehen. Was sahen sie jetzt, wie wirkte die dunkle Wandpaneele mit den Licht- und Schattenspielen auf sie. Mit einer letzten Drehung standen sie, mit dem Rücken zur Wand, genau den Fenstern gegenüber. Die Sonne schien, der Wind bewegte das Laub an den Bäumen im Garten ...

Das bewusste Wahrnehmen der Schattenwand mit dem komischen Verputz und den dunklen Leisten brachte einige Emotionen zum Vorschein. Der eigene Schatten an der Wand, unwirklich und verzerrt, ängstigte viele. Der schräge Lichteinfall – mit den Schattenspielen an den Leisten und Paneelen in der zweiten Position – beruhigte die Gemüter wieder etwas. Den Blick aus dem Fenster dann, mit dem bewussten Sehen der Sonne und der Bäume, in denen der Wind mit den Blättern spielte, empfanden sie als unwahrscheinliches Erlebnis.

Plötzlich *sahen* sie ihre Umgebung *tatsächlich*. Erfühlten und erfassten mit allen Sinnen den Raum und seine Besonderheiten. Die erste Wand wurde fast als Bedrohung gewertet. Die zweite Wand empfanden viele, durch die dunkle Wandtäfelung, als sehr bedrückend. Nur das einfallende Licht half hier, die Stimmung etwas aufzubessern. Der Blick auf die Fensterwand brachte ein Aha-Erlebnis. Der *sehende* Blick aus dem Fenster, die Sonne, der Wind, die Bäume, das Spiel mit Licht und Schatten, die sanften Bewegungen der Blätter. Dasselbe Zimmer, vorher und nachher, und doch war alles ganz anders.

Probieren Sie diese Übung auch aus. Nehmen Sie sich die Zeit und betrachten Sie bewusst Ihr Wohnzimmer oder Büro, eine Wand nach der anderen. Setzen Sie alle Ihre Sinne ein und erfühlen Sie die Besonderheiten der Wände:

- Wie sieht die Farbe der Wand aus?
- Haben Kinder oder Bilder Spuren hinterlassen?
- Wo und wie stehen die Möbel?
- Wie wirken die Farben des Raumes auf Sie?
- Wie fällt das Licht ein?
- Wo ergeben sich dunkle Ecken?
- Was fühlen Sie?
- ... ...

Was sehen Sie tatsächlich in den verschiedenen Positionen? Welche Gefühle steigen bei Ihnen hoch bei der Betrachtung der verschiedenen Wände? Ängstigt, bedrückt oder irritiert Sie eine Wand? Wie reagieren Sie auf Schatten? Wo fühlen Sie sich wohl, wo sind Sie glücklich und zufrieden? Konzentrieren Sie sich nur auf das Sehen und Fühlen. Sie werden erstaunt sein, was Sie erleben.

In jeder Position werden sehr unterschiedliche Gefühle auftauchen, obwohl Sie sicher den ganzen Raum mögen. Diese Übung wird auch von der Tageszeit beeinflusst. Testen Sie das einmal. Jeder Raum, und somit auch jede Wand, verändert mit dem einfallenden Licht die Schwingung. Am Abend könnte der Raum Geborgenheit vermitteln, bei Sonnenschein pulsierende Energie und an einem regnerischen oder trüben Tag ...

Lernen besteht in einem Erinnern an Informationen,
die bereits seit Generationen
in der Seele des Menschen wohnen.

Sokrates

Um die Sichtweise eines Menschen auf ein Problem, eine Situation zu erfahren, kann es auch sehr hilfreich sein, die *Positionen zu tauschen*. Diese Übung ist besonders dann sehr geeignet und interessant, wenn der Ansprechpartner nicht mehr gefragt werden kann oder Antworten verweigert. Diese Übung ist einfacher als Familienaufstellen und trotzdem sehr effizient.

Stellen Sie zwei Sessel auf, mit den Sitzflächen zu einander, der Abstand der Vorderkanten sollte ca. einen Meter betragen. Setzen Sie sich auf den einen Sessel, es ist Ihrer, der Sessel des Fragenden. Auf dem anderen Sessel sitzt, imaginär, die Person, der Sie die Frage stellen möchten.

Konzentrieren Sie sich, fühlen Sie sich ein in die Frage, sehen Sie Ihr imaginäres Gegenüber an und stellen Sie laut Ihre Frage. Warten Sie einige Sekunden, atmen Sie tief und ruhig durch und setzen Sie sich dann auf den anderen Sessel. Konzentrieren Sie sich nun auf diese Person, fühlen Sie sich in die Person und auf Ihre gestellte Frage ein. Fühlen Sie sich wirklich ein, vorurteilsfrei und liebevoll, und dann sagen Sie laut das, was Ihnen jetzt in den Sinn kommt. Sie werden sehen, Sie sagen annähernd das, was Ihr imaginäres Gegenüber Ihnen tatsächlich als Antwort gegeben hätte.

Ein junger Mann hatte etwas Schwierigkeiten, an seinen Vater liebevoll und herzlich heranzugehen. Sein Vater war ihm gegenüber sehr zurückhaltend mit Gefühlen, reserviert und kurz angebunden bei Antworten. Er behandelte den Sohn fast wie einen Fremden. Seit Längerem hatte der junge Mann eine Vermutung und wollte nun endlich Gewissheit haben. Er nützte auch diese Form der Befragung durch *Position tauschen* und fragte etwas, das er seinen Vater bisher nie zu fragen gewagt hätte:

Vater, liebst Du mich überhaupt?

Warum, ich habe für dich gesorgt, für Kleidung, Essen, Universität - das ist doch genug.

Im ersten Moment war der junge Mann so schockiert, dass ihm nichts dazu einfiel. Nur, jetzt wollte er es genau wissen. Er besuchte ihn und in einem günstigen Augenblick fragte er seinen Vater welche Gefühle er für ihn hegt. Es kam fast wortgetreu die Antwort, die der junge Mann schon kannte.

Eine weibliche Fragende: Mami, warum hast Du mich nicht mehr *geliebt?*

Antwort: Ich habe dir alles gegeben was ich konnte, ich konnte dir mein Liebe zu wenig zeigen, verzeih mir.

Tränen kullerten der Fragestellerin über die Wangen. Ihre emotionale Verbundenheit zu ihrer längst verstorbenen Mutter wurde nur noch größer und die Fragestellerin – ein kleines bisschen – glücklicher. Bei Nachforschungen in der Familie wurde ihr bestätigt, dass ihre Mutter oft bedauert hatte keine oder zu wenig Gefühle zeigen zu können.

Machen Sie jedoch diese Übung keinesfalls so einfach zwischendurch. Sie sollten wirklich eine Antwort wünschen, voll und ganz bei der Sache sein und vorurteilsfrei mit der Antwort umgehen. Achten und respektieren Sie den anderen, bringen Sie keine zornige und keine hassvolle Frage vor.

Zur Lösung von Prägungen und Programmierungen, vor allem auch, wenn Antworten und Gespräche verweigert werden, kann diese Art der Klärung sehr sinnvoll sein.

Holen Sie sich für die ersten Versuche Hilfe. Es sollte ein Mensch sein, dem Sie vertrauen. Später, wenn Sie stark genug sind, können Sie die Befragung alleine durchführen, ansonsten bitten Sie wieder eine Person Ihres Vertrauens an Ihre Seite.

Eine Bitte habe ich jetzt an Sie: Gehen Sie liebevoll und sanft mit sich selbst um. Es können viele Emotionen hochkommen und Antworten auftauchen, die für Sie sehr schmerzhaft sein können, und die Ihre bisherige Sichtweise etwas erschüttern. Lassen Sie sich davon nicht beirren, nehmen Sie die Geschenke, die in diesen Antworten liegen, einfach an. Denken Sie darüber nach und integrieren Sie die neuen Erkenntnisse in Ihr Leben. Sie werden Ihren Weg gehen, Sie werden Ihr Selbst entwickeln und Ihr SEIN leben.

Die größte Entdeckung meiner Generation ist die,
dass der Mensch sein Leben ändern kann,
indem er seine Einstellung ändert.

William James

Hinhören - Einfühlen - Hinterfragen

Lernen Sie hinhören! Lernen Sie hinhören und sich in das Gespräch einfühlen. Höre ich jetzt von Ihnen ein *Oh Gott!* Ich kann Sie verstehen. Hinhören kann manchmal sehr schwer sein, einfühlen noch um einiges schwerer und hinterfragen ist für viele Menschen ein Fremdwort.

Ich habe eine Klientin, die, sobald sie zu einem Thema etwas zu sagen hat, sofort das Gespräch unterbricht und ihre Meinung kundtut. Auf Biegen und Brechen! Etwas erklären, ein Gespräch aufbauen, ein konstruktives Arbeiten, das alles ist mit ihr unmöglich. Sie weiß etwas zum Thema und noch bevor ein Satz beendet ist, beginnt sie zu reden. Sie redet und redet, kommt vom Hundertsten ins Tausendste, ist weit ab vom ursprünglichen Thema und redet und redet. Das ist anstrengend, sehr anstrengend. Sie kennen solche Situationen sicher auch.

Am Anfang durchflutete mich jedes Mal ein Strom negativer Gedanken – schon wieder, immer dasselbe, wann hört sie endlich zu reden auf. Die Energie im Raum veränderte sich und je länger sie redete, umso kälter wurde die Atmosphäre. Den Faden des Gespräches wieder dort aufzunehmen, wo ich unterbrochen wurde, war am Anfang relativ schwer. Genauso schwierig war es, die entstandene negative Grundschwingung wieder anzuheben, um einen positiven Verlauf des Gespräches zu ermöglichen.

Soll ich Ihnen jetzt die Lösung dieses Problems nennen? Ich habe sie vollkommen reglos und unverwandt angesehen, mit voller Konzentration auf das, was sie sagte. Nach einigen Minuten fragte sie jedes Mal: *„Ist was?“* „Nein, ich höre zu.“ Da fiel ihr erst auf, dass ihr Monolog das Gespräch eigentlich unterbrochen hatte.

Nur, warum macht sie das immer wieder? Sie will sich profilieren, zeigen, dass sie auch etwas weiß, sie will einfach gehört werden. In der Gruppe war diese Situation manchmal schwierig, man begann ihr auszuweichen und dann stand sie wirklich abseits. Ihren Wunsch, Ihre Sehnsucht, Ihr Bedürfnis, gehört, angenommen und beachtet zu werden, hat ihr niemand mehr erfüllt.

Wenn Sie alleine mit einem Menschen sprechen und Sie haben so eine Quasselstrippe als Gegenüber, dann sagen Sie einfach zwischendurch immer wieder „*... ja, ... ja, ... ja.*“ Nur ja. Der Dauerredner merkt das früher oder später und fragt meist: „*Geht es dir eigentlich gut?*“ Sagen Sie ihm dann einfach: „*Du redest und redest, und du hast aus deiner Sicht vollkommen Recht.*“ Dazwischen- und Dauerrednern fehlt etwas in ihrem Leben und das möchten sie sich vom Gegenüber holen. Sie holen sich Erfüllung für irgendeines ihrer Bedürfnisse.

Anders herum, auch Sie können kaum erwarten, dass Ihnen irgendein anderer Mensch wirklich zuhört, wenn Sie sich selbst nicht mögen, in Ihrer Haut nicht wohl fühlen. Wenn Sie nur Ihr *Bedürfnis,* angenommen, akzeptiert und beachtet zu werden, in den Vordergrund stellen, strahlen Sie das auch aus. Ihr Gegenüber wird dann kaum richtig hinhören auf das, was Sie sagen und Sie werden, damit Ihre Bedürfnisse befriedigt werden, noch mehr reden und reden.

Ein genauso unangenehmer und unangebrachter Aspekt der Kommunikation ist die Unaufmerksamkeit. Ihnen ist das sicher schon passiert, dass jemand mit Ihnen redete und Sie mit den Gedanken ganz woanders waren und Sie nichts oder wenig mitbekamen, von dem, was der andere sagte. Meiden Sie bitte in Zukunft solche Situationen, Sie gewinnen dadurch weder Zeit noch Freunde. Jeder sollte sich in Ihrer Gegenwart wohl fühlen und gerne mit Ihnen zusammen sein. Jeder sollte Freude in Ihrer Gegenwart empfinden.

Sie zu sehen, sie zu sprechen,
ist jedes Mal eine Bereicherung.

Wie kommen Sie zu so einem Kompliment? Durch unvoreingenommenes, aktives Hinhören auf das, was der andere sagt. Das ist ein Hinhören ohne Vorurteile, und ohne dass Sie das Gesagte an Ihren eigenen Erfahrungen messen, durch Ihre Erkenntnisse und Ihr Erlebtes filtern und dementsprechend einordnen.

Tun Sie das jedoch, so können Sie kaum richtig hinhören. Sie schätzen ab, sortieren, vergleichen, hängen in Ihrer eigenen Erfahrungs- und Erlebniswelt und sind wenig offen für das, was der Gesprächspartner sagt. Sie praktizieren ein reaktives, ein geschlossenes Hören.

- Sie sind nicht offen für die Information des anderen.

- Sie werten anhand von Vorurteilen, basierend auf Vergangenem.

- Ihr Hören ist vorprogrammiert, basiert auf Ihren Meinungen und Erfahrungen.

- Sie hören durch den Filter der eigenen Interpretation.

Durch ein voreingenommenes Hören können Ihnen auch wichtige Informationen entgehen, die im Unerwarteten liegen. Auch könnte es sein, dass erst die ganze Geschichte, der Schluss der Rede oder des Satzes, erkennen lässt, was der Sprecher Ihnen wirklich sagen möchte. Durch ein Unterbrechen der Rede Ihrerseits können Ihnen wichtige Aussagen und gravierende Information entgehen.

Beim geschlossenen Hören kann kein gutes Gespräch entstehen. Keine aufbauende Beziehung und keine neue Gemeinsamkeit, keine bereichernde Partnerschaft und keine wirkliche Freundschaft.

Vermeiden Sie deshalb

- zu vergleichen
- zu identifizieren
- zu interpretieren
- zu erraten, was er sagen wird
- die Gedanken des anderen vorab zu lesen
- wortgewandte Machtspiele
- in einen Redewettbewerb zu treten
- ... ...

und filtern Sie auf keinen Fall das Gehörte durch Ihre Erfahrungen, Einstellungen und Meinungen. Vergessen Sie auch Ihr zustimmendes Nicken und Aussagen wie *ja ich weiß* oder *ja, aber bei mir ist es noch viel schlimmer*, wenn Ihr Gegenüber Sie über sein schweres Leben, den schlechten Job oder den enttäuschenden Partner informieren will. Sie hängen dann in *seiner* Negativspirale, er kann Sie damit anstecken. Aus dieser Negativspirale wieder herauszukommen, kann Sie viel Kraft kosten.

Zu lernen, offen und kreativ hinzuhören, nur auf das zu hören, was der andere sagt, dauert etwas. Es bedarf einiger Übungsstunden, bis Sie sich auf das Gegenüber voll einlassen können und aus Ihrem Selbst heraus achtungsvoll agieren. Wirklich vorurteilsfrei, interessiert, verständnis- und liebevoll.

Der Mensch, der Ihnen gerade gegenübersteht, ist im Moment der wichtigste in Ihrem Leben.

Lernen und üben Sie, mit ganzem Herzen hinzuhören, Ihr Gegenüber sollte auch *fühlen*, dass Sie hinhören auf das, was er sagt. Schenken Sie ihm Ihre ganze physische und psychische Aufmerksamkeit und Sie werden erstaunt sein, wie überrascht Ihr Gegenüber ist. Höchstwahrscheinlich ist es schon längere Zeit her, dass ihm jemand so zugehört hat wie Sie.

Wenn jetzt von Ihnen der Einwand kommt *„ja aber“*, dann haben Sie meine Aussage durch Ihren Erfahrungsfilter laufen lassen ...

Sie haben natürlich recht, es wird viel gejammert und genörgelt, nur, wie können Sie in solchen Situationen reagieren, dem anderen helfen und trotzdem eine Bereicherung erleben.

Lassen Sie Ihr Gegenüber ausreden, geben Sie keinen Kommentar zu dem ab, was er sagt. Fragen Sie ihn jedoch irgendwann, mitten drin, oder wenn er Luft holen muss

- Was kannst du tun, um diese Situation zu verbessern?
- Wie könntest du reagieren, um diese Sache gut abzuschließen?
- Hast du dir zu diesem Thema schon Informationen geholt?
- ... ...

Aufbauende, lösungsorientierte Fragen Ihrerseits zeigen ihm, dass Sie nicht sein Beichtvater oder seine Klagemauer sind, sondern ihm helfen wollen, Möglichkeiten zu sehen. Fragen Sie ihn, wie er diese Situation gerne hätte, wie eine Lösung aussehen könnte. Erörtern Sie mit ihm die ersten kleinen Schritte zu einem guten Ergebnis, helfen Sie ihm positiv und aufbauend zu denken. Führen Sie ein inspirierendes Gespräch, vorurteilslos und von Herzen kommend. Höchstwahrscheinlich wird er Sie mit großen Augen ansehen, auf so eine *neue* Reaktion Ihrerseits war er nicht vorbereitet.

Ganz wichtig! Nimmt die Person Ihren Rat, Ihre Hilfe an, so ist es ok, wird Ihr Rat, Ihre Hilfe nicht angenommen, so ist es auch in Ordnung. Lassen Sie sich von der Reaktion, sollte sie ablehnend oder negativ sein, auf keinen Fall irritieren. Alles Gehörte kann entweder positiv oder negativ, bestärkend oder entmutigend, auf- oder abbauend empfunden werden. Es ist das Leben des Anderen, er/sie muss es leben, er/sie sieht und lebt die Umstände, die Situation so und sieht die Welt eben durch diese Brille. So lange, bis ihm oder ihr die Welt so nicht mehr gefällt und eine Änderung in Gang gesetzt wird.

Geben Sie Ihrem Gegenüber trotzdem das Gefühl, ein echtes Gefühl ohne Wenn und Aber, dass Sie ihm respektvoll zuhören. Stellen Sie ihm Ihre ganze Aufmerksamkeit und Ihr Wissen zur Verfügung, agieren Sie positiv und ermutigen und bestärken Sie ihn durch Ihre kreativen Fragen.

An einer Schule für Erwachsenenbildung stand dieser lehrreiche Spruch:

Gesagt ist noch nicht gehört
gehört ist noch nicht verstanden
verstanden ist noch nicht akzeptiert
akzeptiert ist noch nicht umgesetzt.

Ein kluger Spruch, oder? Behalten Sie den Sinn dieser Zeilen immer im Hinterkopf, füttern Sie Ihren kleinen Maxi damit – dann wird die Kommunikation für Sie von Tag zu Tag leichter, Ihr Verständnis größer und Ihre Bereicherung gewichtiger.

Lassen Sie sich auch bewusst auf Gespräche ein, denn jede Begegnung zwischen Partnern sollte zur gegenseitigen Bereicherung beitragen. Ist das Gespräch nur von Ihrer Seite aus ein offenes, kreatives Hinhören, so ist die Bereicherung eben nur einseitig eingetroffen. Dann war es für Sie eben ein Übungsgespräch mit der wichtigen Erkenntnis: *Ich kann es!* Ihr Gegenüber können Sie nur in seinem So-SEIN lassen, es ist sein Leben.

Trotzdem *fühlte* der andere Ihr Engagement, Ihre positive Einstellung zu dem Gespräch und hat für sich selbst sicher etwas in den Tag mitgenommen. Vielleicht die Erkenntnis, dass nur denken, rechnen, disponieren, organisieren und analysieren im Leben ein bisschen wenig ist. Durch Ihre Einstellung zu dem Gespräch, bei dem Sie ein Gefühl der Verbundenheit, Kameradschaft und Zuneigung lebten, wurde ein kleiner Same in seine Gefühlswelt gesetzt, der sich irgendwann entwickeln wird.

Worte sind von innen
nach außen gehende Bewegung.

Wenn Worte von innen nach außen gehen, dann sind sie noch lange nicht das, was der andere wirklich ausdrücken möchte. Oft denkt und glaubt er ganz etwas Anderes, als ihm über die Lippen kommt. Meine Erfahrung führt mich dann oft zu der Frage: Was steht wirklich hinter dem, was der andere sagt oder sagen will?

Ein von mir beobachtetes – ist schon gut, war natürlich ein belauschtes – Gespräch zwischen zwei Damen lief folgendermaßen ab:

A: *Wieso kommst du so spät?! Wir wollten uns schon vor einer halben Stunde treffen.*

B: *Ich war in der Stadt bummeln und habe die Zeit vergessen.*

A: *Du immer mit deinem Bummeln gehen. Ich gehe nie bummeln und in die Stadt gehe ich nur, wenn ich etwas besorgen muss.*

B: *Senkt den Kopf und schweigt.*

A: *Grummelt vor sich hin ...*

Poing, das Gespräch war beendet, Schweigen breitete sich aus. Die Stimmung war auf dem Nullpunkt angelangt und blieb dort den ganzen Abend.

Was steckte hinter den Aussagen von A?

- Wollte A wirklich eine Antwort?
- Was passte ihr an der Aussage von B nicht?
- Wollte A nur Macht demonstrieren, dominieren?
- ... ...

Was stand also tatsächlich hinter der Aussage: *„Du immer mit deinem Bummeln gehen“*?

- Neid auf den Spaß, den B wahrscheinlich hatte
- neidisch weil B zeitlos leben kann
- das Gefühl, zu wenig beachtet, geliebt zu werden
- Angst, vergessen zu werden

Nun, überlegen Sie einmal, was konnte B nicht?

- sich durchsetzen
- zu ihrer Lust, bummeln zu gehen, stehen
- pünktlich sein,
- Verabredungen einhalten
- ... ...

Es war auch für mich ein langer Lernprozess, zu meinen Wünschen zu stehen und diese auch definitiv auszuspechen. Ich habe sehr lange praktiziert, zu fragen

- ... möchtest du Kaffee?

Dahinter stand, *ich* hätte gerne eine Tasse Kaffee, nur der Wunsch meines Mannes sollte der Auslöser dafür sein, dass ich eine Tasse Kaffee bekam. Was stand dahinter?

- der vom Elternhaus eingebläute Grundsatz, die Frau hat zurückzustehen, der Mann ist wichtiger
- zu wenig Selbstbewusstsein
- nur das tun, was er auch will, um geliebt zu werden
- ... ...

Ich hätte damals nur für mich keinen Kaffee gemacht und es hat viele Diskussionen gegeben, bis ich meinem Partner die Gründe dafür klar machen konnte. Für ihn waren meine *Gedanken* in keiner Weise nachvollziehbar. Es war damals noch eine andere Zeit, ich agierte und dachte noch in verschiedenen Prägungen. Heute würde ich sagen:

- Ich mache mir eine Tasse Kaffee, möchtest du auch eine?

Klingt schon etwas anders, oder? Es ist eine Aussage, was ich möchte und ich lade den anderen dazu ein. Ich biete ihm an, auch für ihn eine Tasse Kaffee zu machen.

Die männlichen Zeitgenossen kann – besonders – ein weibliches Wesen sehr leicht auf die Palme bringen mit einer Frage, die mit *„willst du"* beginnt. *Willst du vielleicht dies oder jenes* oder *möchtest du das so ...* oder doch etwas anderes. *Wir könnten doch* Sonntag dorthin oder lieber dahin gehen. Männer wollen Fakten und keine gut gemeinten, versteckten Anfragen, die einen unglaublichen Spielraum für die verschiedensten Entscheidungsmöglichkeiten lassen. Klare, eindeutige Aussagen, mit *ich gehe, ich tue, ich will* begonnen, geben ihnen ein sicheres Gefühl. Das Gefühl, selbst keine Entscheidung treffen zu müssen.

> *Meinen Partner durfte ich nie fragen: Möchtest du ins Kino gehen? Zur Antwort bekam ich jedes Mal: Ich muss mir das überlegen ..., ich weiß nicht ..., mal sehen ob ich Zeit habe ...! Wenn ich ihm jedoch sagte: „Ich möchte gerne ins Kino gehen, gehst du mit?", dann sagte er sofort ja.*
>
> *Möchten Sie jetzt wissen, warum das so war? Ich wollte es auch wissen und habe ihn gefragt, seine Antwort hat mich verblüfft. Ich bekam zu hören: Wenn Du mich fragst, ob ich den Film sehen möchte oder mit dir ins Kino gehe, dann muss ich eine Entscheidung treffen. Wenn du mich jedoch fragst, ob ich dich begleite, dann kann ich sofort ja sagen. Weil ich gerne mit dir ausgehe.*

Paradox oder? Nur es zeigt sehr deutlich, dass die richtige, ehrliche, offene, beginnend mit *ich möchte, ich will, ich tue* gestellte Frage oder Antwort eine andere Basis schafft für ein Gespräch, für ein Miteinander, für eine Beziehung.

> *Eine Klientin hat mit ihrem Mann jedes Jahr, so wie sie sagt, richtig Ärger. Das geht bis zum Ehekrach und tagelangem eisigem Schweigen. Was ist der Grund?*
>
> *Zu Beginn des Jahres kommen die ersten vorsichtigen Anfragen seinerseits, wohin dieses Mal die Urlaubsreise gehen soll. Ihre Antwort ist fast immer eine Gegenfrage – nach seinem Wunschziel. Diese Gegenfrage hängt wochenlang im Raum ohne irgendein Ergebnis. Nach einiger Zeit fragt sie, ob er schon eine Ahnung vom Urlaubsziel hat. Schweigen seinerseits. Eines Tages bringt er einige Prospekte vom Reisebüro und legt sie gut sichtbar auf den Tisch – schweigend. Wochen später nimmt sie die Kataloge zur Hand, sucht etwas aus und disponiert.*

In dieser Ehe werden einige Kommunikations-, Informations- und Beziehungsschwächen gepflegt, richtig schön gepflegt. Das bringt die Partner zur Weißglut und belastet die Beziehung. All der Ärger wäre vermeidbar, denn

- sie weiß doch schon, dass er keine Entscheidung treffen kann, aus welchem Grund auch immer
- sie stellt eine Gegenfrage die vollkommen unnötig ist
- wenn er eine Ahnung hätte wo er hinfahren möchte – ich glaube, dann hätte er es längst gesagt

Zuletzt disponiert dann doch sie alleine wütend irgendetwas. Es wäre ja so einfach. Sie kennt ihren Partner seit vielen Jahren, weiß wie er agiert und reagiert und trotzdem lässt sie es jedes Mal auf eine ehekriseähnliche Situation ankommen. Es hätte genügt, nach den Erfahrungen so vieler Ehejahre, zur Kenntnis zu nehmen, dass er keine Entscheidung treffen kann und möchte, gerne aber aus dem Reisebüro Prospekte holt, also etwas für sie oder für beide tut. Ein gegenseitiges aufeinander zu- und eingehen, ein gutes Miteinander hätte hier sehr geholfen und wochenlang wäre ein friedliches Zusammenleben möglich gewesen.

Bitte vermeiden Sie jetzt zu sagen: So ein Blödsinn, das passiert alles, doch *mir* nicht. Überlegen Sie einmal, ganz ehrlich, in welchen Situationen Sie beim Kommunizieren

- ein ungutes Gefühl hatten
- das Zwischenmenschliche nicht so richtig funktionierte
- Sie unmögliche Antworten bekommen haben
- Sie beim Gespräch glaubten, auf einem anderen Stern zu sein
- immer drum herumgeredet wurde
- die Antwort in keiner Weise zum besprochenen Thema passte
- Sie selbst undefinierbare Antworten gaben
- der Verlauf des Gespräches etwas dubios war
- keine definitive Aussage zustande kam
- um das Thema immer herum geredet wurde
- viele *ich weiß nicht* oder *vielleicht* kamen
- einige *Wenn* und *Aber* im Raum standen
- vage Aussagen keine konkrete Situation schufen
- Sie frustriert auseinandergingen
- das Gespräch kein Ergebnis brachte
- ... ...

Versuchen Sie, sich solche Gespräche in Erinnerung zu rufen und hinterfragen Sie:

- Bei welchem Thema ist der andere *hängen* geblieben?
- Ab wann stockte die Konversation?
- Wieso drehten wir uns plötzlich im Kreis?
- Was könnte den anderen irritiert, frustriert, blockiert haben?
- Wollte ich ihn entgegen seiner Ansicht überzeugen?
- Habe ich auf die Reaktionen des anderen zu wenig geachtet?
- In welcher Stimmung haben wir uns getrennt?
- War das Gespräch überhaupt konstruktiv?
- ... ...

Vor vielen, vielen Jahren habe ich ein Hörspiel gehört, das die Unfähigkeit vieler Menschen, miteinander richtig zu kommunizieren, zum Thema hatte.

> *Zwei Paare sitzen an einem Tisch. Der eine beginnt etwas zu erzählen, der Nächste nimmt mittendrin einen Satz, ein Wort auf und erzählt dazu etwas. Er gibt seine Meinung kund, bevor der Erste zu sprechen aufgehört hat. Die dritte Person mischt sich ein und redet mit, denn zu einem Satz, einer Aussage, hat auch sie etwas zu sagen. Der Vierte hängt sich bei irgendeinem Wort, vielleicht einer Frage, ein und redet auch lustig drauflos. Vier Personen reden und reden, alle auf einmal. Ohne aktiv hinzuhören, was der andere sagt, profiliert sich jeder Redner in einem willkürlichen Monolog.*

Das faszinierende an diesem Hörspiel war, ein Redner wurde tonmäßig immer in den Vordergrund geholt. So konnte ich den Text von einem Redner kurzfristig tatsächlich verstehen, während die anderen Stimmen etwas im Hintergrund verschwanden und nur leise zu hören waren. Wie auf einem Karussell bin ich mir vorgekommen. Wer sagt jetzt was, über welches Thema spricht der jetzt zu Hörende, und wie hängt das mit den Aussagen der Anderen zusammen? Wer erzählt etwas, wer beschwert sich, wer schimpft? – Ich habe es nicht herausbekommen. War ja auch nicht der Zweck dieses Hörspiels.

In der Zwischenzeit habe ich viele solcher *Hörspiele* gehört. Beobachten Sie einmal Ihre Mitmenschen, beobachten Sie sich selbst, wenn drei oder vier Menschen zusammenkommen, sich irgendwo treffen. Vielleicht ist die Situation nicht so extrem und doch wird das mit den Gesprächen sehr oft so gehandhabt. Keiner hört richtig hin auf das, was der andere sagt. Jeder will jetzt und sofort seine Meinung äußern, sich profilieren, besser, größer, klüger erscheinen und vor allem zeigen, dass er weiß, was an diesem Tag im Büro, in der Umgebung, in der Weltgeschichte und vor allem ihm schon alles passiert ist. Und fast immer ist das Erlebte und die Geschichte des Erzählers um vieles größer, wichtiger und schlimmer, als Sie es je erlebt haben oder erleben werden.

Manchmal ist es wirklich schwierig, Gespräche zu führen. Sobald ein Wort, ein Satz fällt, zu dem dem Gegenüber irgendetwas einfällt, wird dazwischengeredet oder gänzlich unterbrochen. Das ursprüngliche Thema geht unter in den Erklärungen, den Erzählungen des anderen.

Ich kenne einige Personen, die so agieren. Zu meinem Bericht, meiner Frage, also Ausgangspunkt A, bringt ein kurzer Zwischenruf des Gegenübers eine neue Thematik zur Sprache und über X, Y, X landet die Erzählung des Gegenübers bei M, N, ohne dass ich meinen Bericht beenden konnte oder meine Frage beantwortet wurde. Ausgangspunkt A liegt in weiter Ferne, obwohl erst eine oder zwei Minuten vergangen sind.

Wenn Sie an Ihrem Gesprächspartner interessiert sind, sollten Sie sich fairerweise fragen:

- Ist das Gegenüber so unsicher?
- Gibt es Probleme mit dem *Gehört werden?*
- Wird er/sie im Leben oft übersehen?
- Besteht beim anderen die Angst, den Einwand, die Frage zu vergessen?
- Steht ein Minderwertigkeitskomplex dahinter?
- Will er/sie zeigen wie gut er/sie ist?
- Will er/sie mit ihrem Wissen prahlen?
- Braucht er/sie viel Aufmerksamkeit?
- Will er/sie im Rampenlicht stehen?
- Will er/sie sich profilieren?
- … …

Eine gute Möglichkeit, mit solchen Dauerrednern zu kommunizieren, ist, den Wunsch gehört zu werden, sofort vor dem ersten Satz zu deponieren:

- Ich möchte dir etwas erzählen, lass mich bitte ausreden.
- Ich habe eine Frage an dich, hör dir bitte zuerst einmal alle Information an.
- Ich habe eine Entscheidung zu treffen, hör dir An, worum es geht und rate mir *dann.*
- Ich habe mit dem Computer ein Problem, ich sage dir zuerst, was ich alles probiert habe.
- Ich kann das … nicht finden, ich sage dir, wo Ich schon überall gesucht habe.
- … …

Durch solche Einleitungen geben Sie Ihrem Gegenüber, seiner Hilfe und seiner Aussage eine Wichtigkeit, die ihn unwahrscheinlich aufbaut, ohne dass Ihnen eine Perle aus Ihrer Krone fällt. Sie möchten ja etwas von ihm, sonst würden Sie ihn ja nicht ansprechen.

Wenn von Ihnen nun die Aussage kommt: *Ja muss ich mich denn immer nach den anderen richten, auf die anderen achten,* dann sage ich Ihnen klipp und klar: nein.

Sie können jedoch einiges tun, um

- richtige Antworten zu bekommen
- definitive Aussagen zu ermöglichen
- wichtige Informationen zu erhalten
- aufbauende Gespräche zu führen
- ... ...

Es liegt in Ihrer Hand wie Ihr nächstes Gespräch mit der Familie, in der Firma, mit Freunden oder auch mit Fremden abläuft. Ihre vorurteilsfreie, aufgeschlossene, offene und positive Einstellung zum Gespräch beeinflusst den Ausgang maßgeblich.

Es wäre doch auch Zeitverschwendung und wirklich sinnlos, Negatives wiederzukauen und wiederzukauen und damit das negative, kollektive Denken noch zu verstärken. Gleichgültig, ob das ein Problem in der Firma ist oder die Familie betrifft, ob über die Nachrichten oder das Weltgeschehen gesprochen wird. Stoppen Sie das Gespräch, fragen Sie, wie eine Verbesserung der Situation aussehen könnte und bringen Sie die Frage nach einer möglichen, machbaren Lösung ein. Interessieren und engagieren Sie sich, Sie verbessern damit das kollektive Denken. Tun Sie das, Sie können auch im Kleinen die Welt verbessern und anderen helfen – es liegt in Ihrer Hand.

Kennen Sie die Geschichte von dem Weisen, der den Stern über Bethlehem sah und sich auf den Weg dorthin machte? Er tauschte alle seine Güter und alles was er besaß gegen drei Edelsteine ein, einen Stein der so blau war wie der Nachthimmel, einen, der so rot war wie der Sonnenaufgang und einen, so rein wie ein Schneegipfel und machte sich auf den langen, langen Weg.

Für andere gab er – aus Barmherzigkeit, Liebe und für Gnade – seine drei kostbaren Edelsteine. Am Ende seines Lebens hatte er nichts mehr und auch den Stern hatte er nicht gefunden. Als er dies bedauerte hörte er eine weiche Stimme die sagte: Was du dem geringsten meiner Brüder getan hast, hast du mir getan.

Darum geht es in unserem Leben, um ein menschliches Miteinander und dazu gehört auch das Miteinander zwischen Ihnen und Ihrem Selbst.

Möglich wird das, wenn Sie Ihre Reaktionen und Gefühle hinterfragen, sobald sie auftauchen. Hören Sie in sich hinein, fühlen Sie in sich hinein, betrachten Sie Ihre Sichtweisen, Ihre Gewohnheiten, Ihre Vorstellungen und – wenn Sie möchten – ändern Sie etwas.

Wagen Sie es wirklich, zu ändern, was Sie ändern möchten und zu streichen, was Sie für überholt erachten. Formulieren Sie Ihre neuen, positiven, aufbauenden Gedanken und handeln Sie nach den neuen Erkenntnissen. Leben Sie ein befriedigendes, glückliches Miteinander, mit sich selbst und dem Nächsten. Denn in jedem Satz, in jeder Frage ist ein Hinweis, eine neue Möglichkeit, ein Geschenk für Sie enthalten – packen Sie es aus.

Darüber hinaus
ist mein Sagen nichts,
auch wenn ich Alles
in Worte fassen möchte.

An der Grenze
trifft das Schweigen,
das mir alles
in Fülle zu sagen vermag.
auf mein Hören,
das schweigend
sich der Leere öffnet.

Geschenkt wird mir
das Hören der Frage
nach dem Etwas;
meine erste Antwort
ist die stumme Entgegennahme
dieses Geschenks.

Theodor A. M. Frey
aus 4 Symphonien

Manifestationen

Manifestieren, ein Thema das sehr oft Verwirrung stiftet, viel verdammt und manchmal belächelt wird. Meist jedoch von Menschen, die noch keine eigene Erfahrung mit Manifestationen gemacht haben oder unergiebige Resultate erzielten.

Manifestationen können nur dann wirklich wirksam werden, wenn Ihre Grundeinstellung eine positive, offene ist und Sie mit Ihrem ganzen Gefühl und Ihrem ganzem Herzen dahinterstehen. Erst wenn Sie Ihre negativen oder abwertenden Grundeinstellungen betrachtet, aufgelöst und in positive umgewandelt haben, greifen aufbauende Manifestationen. Wegreden und Wegdenken funktioniert kaum. Sie beschummeln sich, Ihren Geist, Ihren Körper, Ihre Seele bei so einer angeblichen Manifestation selbst.

Ich habe über eine 3-Schritte-Methode gelesen, um Unliebsames aus dem Leben zu verbannen. Der Vorschlag war folgender:

- Sie benennen die Situation
- Sie stellen fest, dass Sie das ändern können
- Sie fordern das Problem auf zu verschwinden

Super, wenn das so leicht wäre.

Wenn Sie diese Vorgehensweise anwenden, weil Sie finanzielle Schwierigkeiten haben, so glaube ich kaum, dass diese Methode funktioniert. Gehen wir einmal diese drei Punkte durch, Sie sagen

- ich habe finanzielle Schwierigkeiten
- die kann ich ändern
- ich fordere euch auf zu verschwinden.

Simsalabim und schwupps, und alle Ihre finanziellen Schwierigkeiten sind weg. Wow! Wenn Sie in so einer Situation Ihr Mangeldenken nicht aufheben und lösungsorientiert für die Zukunft denken und planen, funktioniert nichts. Sie können es mir glauben.

Noch so ein Beispiel. Sollten Sie Ärger mit Ihrem Partner haben, er Ihnen das Leben schwer macht, dann sagen Sie einfach nach der 3-Schritte-Methode:

- ich habe Ärger mit meinem Partner
- das kann ich ändern
- ich fordere den Ärger auf zu verschwinden.

Nochmals wow! Super, einfach super, jetzt ist der Ärger weg! Ich denke jedoch nur solange, bis der Partner nach Hause kommt, das Grundproblem ist ja noch immer Raum, es ist nach wie vor ungelöst.

Probieren Sie diese Methode aus, wenn Sie Gewicht reduzieren möchten, glauben Sie wirklich, dass das so funktioniert?

Das Grundproblem muss wirklich herausgearbeitet und betrachtet werden. Brauchbare, lösungsorientierte Ansätze müssen gefunden und umgesetzt werden, erst dann kann die positive Motivation greifen.

Wer heute den Kopf in den Sand steckt,
knirscht morgen mit den Zähnen.

Noch etwas. Kennen Sie eigentlich den kleinen Maxi? Das ist dieser ängstliche, ungläubige und meist negative Hinterkopf-Mitbewohner, der immer dann auftaucht, wenn Sie ihn überhaupt nicht brauchen können. Der immer dazwischenquatscht, Sie irritiert und Sie von Ihren guten Vorsätzen abbringen will. Das ist Maxi!

Nehmen wir einmal an, Sie manifestieren, dass Sie genau vor dem Haus einen Parkplatz finden, super. Sobald sich jedoch in Ihrem Hinterkopf der kleine Maxi meldet und meint: *und was ist wenn nicht?*, dann ist der Grundgedanke der positiven Manifestation schon gelöscht. Sie glauben nicht mehr bewusst und überzeugt daran, den Parkplatz vor dem Haus zu bekommen. Gewohnheitsmäßig und vollkommen automatisch lassen Sie sich von dem kleinen Maxi beeinflussen.

Dasselbe Beispiel andersherum: Sie manifestieren sich einen Parkplatz direkt vor dem Ziel. Dann denken Sie sicher: *Ich finde direkt davor einen Parkplatz, ich finde direkt davor einen ...* Und zugleich beginnt, der liebe kleine Maxi in Ihrem Hinterkopf, nach Lösungen zu suchen: *Wo könnte ich parken wenn ich den Parkplatz direkt davor nicht bekomme?* Poing! Schon ist die Manifestation durch den Zweifel zerstört.

Wenn Sie schon länger Ihre Wünsche manifestieren und darin schon sehr geübt sind, dann bekommen Sie wahrscheinlich den Parkplatz. Ihre Manifestation ist durch das – jetzt schon vorsichtigere und leisere – Melden des kleinen Maxi nur angekratzt. Üben Sie erst das Manifestieren, so ist Ihr vorsichtiger Unglaube, dass es funktionieren könnte, wahrscheinlich noch relativ groß und Ihre Manifestationen funktionieren nur manchmal.

Probieren Sie es einmal aus und sagen Sie sich einfach: *Ja, ich glaube daran, dass es funktioniert, ja ich bekomme diesen Parkplatz!* Seien Sie offen für Wunder und das Wunder, dass Manifestationen funktionieren. Das Glauben dürfen Sie auch üben, das Glauben, dass das, was Sie sich vorstellen, Realität werden kann.

Angenommen, Sie wünschen sich einen neuen, besseren Job. Sobald in Ihrem Hinterkopf der kleine Maxi sich meldet und sagt:

- Bei der schlechten Wirtschaftslage werde ich sicher nichts finden.
- Wer weiß, wie es in der neuen Firma ist.
- Werde ich den Anforderungen gewachsen sein?
- Was wird sich für mich alles ändern?
- … …

dann brauchen Sie keinen Gedanken mehr auf einen neuen, besseren Job verschwenden. Sie werden keinen finden, der kleine Maxi hat Sie schon im Vorfeld erfolgreich verhindert.

Wie oft habe ich gehört,

- Ich kann mich ja bewerben, aber es wird sowieso nichts.
- Das neue Medikament wird auch nicht helfen.
- Wer weiß, ob das Hotel wirklich so schön ist.
- Bei meinem Gartenfest hat es noch immer geregnet.
- Hoffentlich ist der neue Job besser.
- Werde ich mit der Neuen klar kommen?
- Ich werde mich sicher wieder über die Schwiegermutter ärgern.
- … …

Ja, ja, der kleine Maxi! Der immer aus dem Hintergrund mit einem *Wenn* und *Aber*, einem *vielleicht* und *wenn nicht* mitreden will. Zweifel entstehen dann, wenn die Vorstellung eines vielleicht negativen Ausganges überhand nimmt. Glauben Sie an einen positiven Ausgang, fühlen Sie sich ein in ein fantastisches Ergebnis und gehen Sie so an die Sache heran.

Wissen, dass es das ist, was Sie wirklich möchten. Daran glauben, dass das Ergebnis, das Sie sich vorstellen, auch eintrifft. Wie steht es mit dem Fühlen? Nun, wie werden Sie sich fühlen, wenn Ihr positiver Gedanke, Ihre Manifestation eingetroffen ist? Wird es sich gut anfühlen, wirklich gut? Super, mit dieser fantastischen Einstellung gehen Sie jetzt an die Sache heran.

Wissen - glauben - fühlen - handeln!

Sollte trotzdem eine Manifestation nicht funktionieren und ein Wunsch deshalb unerfüllt bleiben, dann war, für Ihre physische und psychische Entwicklung dieser eine Wunsch unpassend. Für Ihr momentanes Leben ist die Erfüllung dieses Wunsches zu groß, unnötig oder unerheblich – findet das Universum, Ihr Über- oder Unterbewusstsein oder das, woran immer Sie glauben.

Das ist wie bei einem 10-jährigen Kind, das Schuhe in Größe 46 anzieht. Die sind für den 10-Jährigen in diesem Moment sicher auch zu groß, unpassend und für den täglichen Bedarf unnötig.

Ich erinnere mich an eine Zeit, als ich vor den Scherben meines Lebens stand, beruflich, finanziell und auch privat. Tagtäglich setzte ich mich hin und manifestierte: *Mir geht es ausgezeichnet, diese Situation klärt sich jetzt, mein Erfolg manifestiert sich jetzt,* ... schnief, schnief, schneuz, ein Taschentuch. *Alles entwickelt sich zum Besten, ich finde jeden Tag neue Kunden,* ... schnief, schnief, schneuz, schneuz, und noch ein Taschentuch, und noch eines.

Glauben Sie, dass diese Manifestationen wirkten? Nein, natürlich nicht. Negative Situationen müssen auf- und umgearbeitet werden, damit positive Manifestationen greifen können. Ich musste durch das ganze Tal des Elends und vollkommen neu anfangen. Alles was ich hatte, war mein Wissen. Nur, das lag gut gehütet in meinem Kopf, eingepackt und verschnürt. Vor lauter existenziellem Elend und Angst vor der Zukunft kam ich an mein Wissen und damit an die Möglichkeit eines sofortigen, positiven Neuanfangs überhaupt nicht heran.

Mein Körper, meine Gedanken, meine ganze Energie strahlte Verzweiflung, Mutlosigkeit, Elend und Angst aus. Ich war ohnmächtig, irgendwie zu reagieren. Lange Zeit lebte ich in Situationen, die hakten. Beim geringsten Anlass wurde ich mutlos, verzweifelt und ängstlich. Diese Zeit hat Spuren und Prägungen hinterlassen, die in Krisensituationen lange Zeit wieder durchkamen.

Bedingt durch das *"tiefes-Tal-des-Elends-Gefühl"* war ich auch öfter im Minus als im Plus der Positivität. Der kleine Maxi im Hinterkopf meldete sich einfach zu gerne immer wieder und sehr erfolgreich. In den unmöglichsten Situationen, beim geringsten Anlass kam das *tiefes-Tal-des-Elends-Gefühl* durch und zog er mich jedes Mal aufs Neue in eine unwahrscheinliche Negativspirale.

Ich brauchte lange Zeit und musste viel üben, trotz einiger hervorragender Ausbildungen, bis meine Lebensspuren verblassten, der kleine Maxi leiser wurde, und die Manifestationen griffen.

Eine positive Geschichte zum Thema Manifestation will ich Ihnen auch noch schildern.

Ich habe Langzeitarbeitslose in Motivation und Kommunikation unterrichtet. Es ging darum, diese Menschen aufzubauen, sie aus der gedanklichen Negativspirale herauszuholen und neue Sichtweisen und Einstellungen ein-

Konzentration auf das Leben

Leben Sie bewusst? Wirklich bewusst? Wissen Sie das genau? Wie oft sind Sie in Gedanken irgendwo, während Sie irgendetwas, irgendwie machen? *Ja wenn, aber, ...* . Nein, und nochmals nein!

Wie oft fahren Sie gedankenverloren Auto, weil irgendeine Sache in Ihrem Kopf herumspukt, Sie mehr auf Ihr denken konzentriert sind als auf das Autofahren? Hören Sie vielleicht auch irgendwelche Lernkassetten, während Sie Auto fahren? Ja? Was machen Sie eigentlich, lernen oder Auto fahren? Ja, ja, ich weiß, die Kassette spult sich Meter für Meter ab und der Lerninhalt läuft vollkommen automatisch in Ihr Unterbewusstsein und – fahren tun Sie auch automatisch?

Ich habe noch keine einzige Lernkassette abgehört, bei der nicht die eine oder andere Aufgabenstellung integriert war, eine gestellte Frage zum Nachdenken aufforderte oder eine Behauptung zum Überdenken animierte. Oft ist auch ein Satz, ein Gedanke so gut, dass ich ihn unbedingt in meine Gespräche oder Vorträge einflechten oder genauer darüber nachdenken möchte. Nur, wie soll ich mir das beim Autofahren aufschreiben oder über die Aufgabe nachdenken und diese vielleicht auch noch lösen? Auch wenn Sie bereits perfekt in zwei Ebenen denken können, die Gefahr eine Sekunde, eine bittere Sekunde zu spät zu reagieren, wäre für mich einfach zu groß.

Nur sehr wenige Menschen
leben wirklich in der Gegenwart,
die meisten bereiten sich vor, demnächst zu leben.

Jonathan Swift

Auch Ihr Wunsch ist es sicher, mit allen Fasern Ihres Körpers zu lachen, zu lieben und zu leben. Einfach so! Nur – nebenbei oder bewusst? Bewusst leben heißt, im *Hier-und-Jetzt-SEIN.* Mit allen Fassetten Ihres Wesens, mit allen Zellen Ihres Körpers, mit allen Gedanken, mit all Ihrer Wärme, Ihrer Herzlichkeit, Liebe und Ihrer vollen Aufmerksamkeit.

Verschenken Sie bitte nicht eine Minute Ihres Lebens. Leben Sie bewusst und praktizieren Sie das nicht nebenbei und irgendwie, sondern voll und ganz

- beim Autofahren
- beim Lernen
- bei der Arbeit
- beim Essen
- beim Kommunizieren
- beim Sport
- in Ihrer Freizeit
- … …

Gehen Sie achtsam durch Ihr Leben und tun Sie das, was Sie tun, bewusst im Hier und Jetzt. Auch alle Menschen, die Ihnen nahestehen, Ihr momentanes Gegenüber, alle verdienen Ihre volle Aufmerksamkeit. Sie leben um zu SEIN.

Ein Mann wollte bei einem weisen Menschen etwas über die Weisheit erlernen.

„Guter Mann, Ihr seht so glücklich und zufrieden aus. Wie kann das geschehen?"

"Ganz einfach“, sagte der Weise, „wenn ich esse, dann esse ich, wenn ich arbeite, dann arbeite ich und wenn ich schlafe, dann schlafe ich"

"Nichts Besonderes", sagte der Mann, "das tue ich auch!"

"Oh nein", sprach der Weise, "wenn du isst, dann denkst du an die Arbeit, wenn du arbeitest, dann denkst du an den Schlaf, und wenn du schläfst, dann bist du schon beim Morgen!"

Trifft das vielleicht auch auf Sie zu? Machen Sie auch zwei oder drei Aufgaben auf einmal?

Wenn Sie, in Gedanken noch bei Ihrer Tätigkeit, den Telefonhörer abheben, werden Sie kaum den Namen des Anrufers richtig mitbekommen. Wenn Sie schon öfters mit ihm telefonierten und seine Stimme erkennen, dann wissen Sie auch, wer anruft. Ist es jedoch ein neuer Kontakt, müssen Sie wegen des Namens nachhaken. Atmen Sie lieber tief durch und zählen Sie bis drei und dann heben Sie den Hörer ab. Ihr Gegenüber spürt, dass Sie in Gedanken voll bei ihm sind und es entsteht sofort eine emotionale Bindung.

Finden Sie es auch irritierend, wenn während des Telefonierens gegessen, getrunken oder das Büro aufgeräumt wird? Fühlen Sie sich dann beachtet oder nebensächlich? Ich denke, eher nebensächlich, der Angerufene demonstriert, wie wichtig ihm seine Tätigkeit ist und wie unwichtig Sie und Ihr Anruf ihm sind. Es wäre doch einfach zu sagen, tut mir leid, ich habe jetzt wenig Zeit, kann ich zurückrufen oder ...

Ich fühle mich in solchen Telefon-Situationen immer schlecht und beende das Gespräch so schnell wie möglich. Die Aufmerksamkeit des anderen habe ich sowieso nicht, er hört nur mit dem halben Ohr auf das, was ich sage oder frage, hat keinen Stift zur Hand, um sich etwas zu notieren – es ist frustrierend.

Wenn Sie mit Ihren Gedanken nicht bei der Sache sind, die Sie gerade machen, dann versalzen Sie die Suppe, schneiden sich in den Finger, löschen irrtümlicherweise den gerade geschriebenen Brief, stoßen den Kaffe am Bürotisch um, vergessen Termine und Verabredungen. Sie können diese Liste sicher um einiges verlängern.

Ihre Stimmung wird im Keller sein, Ihr Ärger ist vorprogrammiert und manchmal auch noch mit einigen Kosten verbunden. Das alles passierte, weil Sie mit Ihren Gedanken irgendwo waren, nur leider nicht dort, wo Sie hätten sein sollen. Bei der Tätigkeit, die Sie gerade tatsächlich ausführen wollten und die Ihre volle Energie, Aufmerksamkeit und Konzentration verdient hätte.

> *Eine Freundin von mir ist beim Rückwärtsfahren in eine niedrige Begrenzung, die rund um einen Baum angebracht war, gefahren. Es ist nicht viel passiert, die Stoßstange war nur etwas eingedrückt. Der Ehemann als Beifahrer hat jedoch gewettert, sie hat sich geärgert, ... Sie war mit ihren Gedanken nicht beim Einparken und hat dadurch auch nicht auf die Parkplatz-Umgebung geachtet.*

Was würden Sie ihr raten, das sie jetzt als erstes tun soll? Richtig, sie sollte die momentanen Aggressionen ablassen und dem aufgestauten Ärger Raum geben. Das ist ein ganz wichtiger Schritt für das weitere Vorgehen. Zurückgehaltener Ärger und Zorn schadet nur, seelisch und körperlich. Er staute sich auf und blockierte sie, Klarheit über die nächsten Schritte zu bekommen.

Erst nachdem sie Ihren aufgestauten Ärger und Zorn herausgelassen, den Schaden begutachtet hat, kann sie zu sich selber, da sie einen Beifahrer hatte auch zu diesem, sagen:

- Es tut mir leid.
- Es ist eben passiert.
- Ich war unachtsam.
- Ich war in Gedanken woanders.
- Ich war bereits zu Hause beim Kochen.
- Das nächste Mal passe ich besser auf.
- Ich werde mehr auf das Umfeld des Parkplatzes achten.
- Es ist ärgerlich.
- Wird leider einiges kosten.
- Es ist eben so.
- Entschuldigung, es war mein Fehler.
- … …

Jetzt hat sie ihre Aggressionen befreit, die Ursache des Missgeschickes, ihre Unaufmerksamkeit, benannt und sich bei sich selbst praktisch entschuldigt. Jetzt erst hat sie die Möglichkeit, ein besseres Gefühl in sich zu erzeugen. Vielleicht das gute, aufbauende Gefühl des Vorsatzes: *Ich werde in Zukunft achtsamer sein.* Trotz allem vorhandenen und noch kommenden Ärger fühlt sie sich jetzt wahrscheinlich tatsächlich besser.

Relativ unglücklich bin ich über die Empfehlung vieler Trainer, für missliche Situationen den Rat zu geben: *Holen Sie sich einfach gute Gefühle – und es geht Ihnen wieder besser.*

Versetzen Sie sich bitte einmal in die Situation mit der verbeulten Stoßstange. Was wäre Ihre erste Reaktion? Ich denke, das wird wahrscheinlich ein sehr aggressives Dampfablassen sein. Wut und Zorn auf die Umzäunung, die nun wirklich nichts dafür kann, auf die Stadtverwaltung, weil die diese Begrenzung montiert hat und auf Ihre eigene Unachtsamkeit. Vielleicht richtet sich Ihre Verärgerung auch gegen Ihren Beifahrer, gegen das Auto oder gegen sonst irgendjemanden, oder irgendetwas. Wenn ich Ihnen jetzt den Rat gebe, *holen Sie sich einfach ein gutes Gefühl und alles ist wieder ok*, dann schießen Sie mich wahrscheinlich auf den Mond ... und noch ein Stückchen weiter.

> *Eine Bekannte von mir, hat unwahrscheinliche Schwierigkeiten in ihrer Ehe. Streit und Ärger am laufenden Band, Meinungsverschiedenheiten über alles Mögliche, Heulszenen, Hass und Zorn und Nichtachtung des anderen auf beiden Seiten.*
>
> *Dann war sie auf einem Seminar, bei dem vermittelt wurde, wie unangenehme Situationen durch das Holen eines guten Gefühls eliminiert werden können.*
>
> *Anschließend erzählte sie uns: Jetzt streite ich mich mit meinem Mann nicht mehr. Immer wenn wir Meinungsverschiedenheiten haben, wenn er zu streiten beginnt oder etwas macht, das mir nicht passt, beginne ich jetzt einfach zu tanzen, zu singen und zu lachen und sag immer wieder: Ich fühle mich gut, ich fühle mich gut, ...*

Jetzt hält ihr Mann sie für verrückt. Verständlich?

Statt sich hinzusetzen, die Situationen und die Schwierigkeiten zu klären, offen und vorurteilsfrei, glaubt sie, die Situationen durch ein Übertünchen mit *guten Gefühlen* zu eliminieren. Statt die belastenden Situationen zu bereinigen, ist ihr geraten worden, sich ein gutes Gefühl zu holen und alles ist in Ordnung.

Negative Gefühle, Hass, Zorn, Ärger bitte ansprechen!!! Diese müssen raus, überdecken mit guten Gefühlen hat nicht einmal eine vorübergehende Wirkung. Die negativen Gefühle stauen sich unterschwellig weiter auf. Ihr Selbstwertgefühl kann sich nur aufbauen, wenn Sie fair, liebevoll und konstruktiv die die Situation auslösenden Fakten besprechen.

Ändere die Situation oder deine Einstellung.

Achten Sie bitte darauf, bei solchen Gesprächen in der Ich-Form zu sprechen:

- Ich fühle mich verletzt.
- Ich fühle mich zu wenig beachtet.
- Ich möchte gehört werden.
- Ich komme mir ausgenützt vor.
- Ich schaffe das nicht, hilf mir.
- Ich möchte das ... jetzt besprechen.
- Ich wünsche mir, dass du im Haushalt hilfst.
- Ich möchte, dass wir das klären.
- Ich möchte, dass auch meine Wünsche beachtet werden.
- ... ...

Wenn Sie so vorgehen, werden Sie sich anschließend wirklich besser fühlen und Ihr Gesprächspartner wird beginnen, Sie zu achten und zu schätzen.

Natürlich können Sie einmal schlechte Laune haben weil Sie (angeblich) mit *dem linken Fuß* aufgestanden sind. Nur, warum haben Sie diese schlechte Laune, die ja aus Ihrem Gefühl kommt? Es ist Ihre Einstellung zum Leben, zu einer Situation oder Ihre Angst vor der Tagesaufgabe, vor der Arbeit. Alles das können Auslöser dafür sein, dass Sie, so wie Sie es empfinden, mit dem linken Fuß aufgestanden sind.

Eine Situation ist, wie sie ist, konzentrieren Sie sich auf Lösungen und auf ein Miteinander. Sprechen Sie Situationen an, lernen Sie, um Hilfe zu bitten, ohne andere auszunützen, planen Sie Ihren Tagesablauf. Es ist auch sinnlos, wenn Sie schon morgens um 7:00 Uhr qualvoll an Dinge denken, die erst gegen 16:00 Uhr anstehen, so vermiesen Sie sich und Ihren Mitmenschen den Tag. Lernen Sie, Schritt für Schritt zu agieren, im Hier und Jetzt.

Sollten Sie sich dabei ertappen, wie Sie während einer Tätigkeit in Gedanken abschweifen, dann denken Sie den Gedanken zu Ende, falls das möglich ist, oder stoppen Sie ihn sofort. Anschließend halten Sie kurz inne, atmen Sie einige Male tief durch und konzentrieren Sie sich neuerlich auf die anstehende Tätigkeit. Probieren Sie es einfach einmal aus und gehen Sie achtsamer durch das Leben.

Die wichtigste Stunde ist die Gegenwart,
der bedeutendste Mensch der,
der dir gerade gegenübersteht,
und das wichtigste Werk ist die Liebe.

Meister Eckehart.

Netzwerke knüpfen

Es fasziniert mich immer wieder, wie sehr im Moment der Trend, Netzwerke zu knüpfen, propagiert wird. Es gibt Treffen der verschiedensten Organisationen, Verbände, Gruppierungen und wie die Geier achtet jeder auf jeden. Warum? Damit ja kein Kontakt entsteht, der für den Beobachter auch interessant sein könnte. Es wird geprahlt und geprotzt, um möglichst gut da zu stehen, oder so unterkühlt agiert, dass jeder neugierig wird. Ausgangspunkt ist jedoch immer wieder der Ansatzpunkt, *ich will, ich bin, ich habe, ...*

Überlegen Sie einmal, wie ein Kontaktgespräch laufen könnte. Angenommen, Sie fragen Ihr Gegenüber zuerst,

- wie es ihm geht
- was ihn zu dieser Veranstaltung geführt hat
- ob er schon öfter dabei war
- ob er vielleicht schon Mitglied ist
- was er glaubt, heute hier zu erfahren
- in welcher Form das seine Arbeit bereichern oder beeinflussen könnte
- wie er das Gehörte umsetzen kann oder will
- ob er den Vortrag auch so faszinierend fand
- welche Aussage für ihn am interessantesten war
- ... ...

Gehen Sie immer ein auf die Situation, unter der Sie diesem Menschen begegnet sind. Achten Sie auf seine Informationen und bauen Sie daraus ein Gespräch, das Ihnen den Ansatz liefert, mit dem Gegenüber in näheren Kontakt zu treten.

Indem Moment, wo Sie sich für ihn interessieren, bekommen Sie genug Informationen, um Ihre Wünsche nach einer Zusammenarbeit zu platzieren. Der andere muss jedoch fühlen, dass Sie ihm zuhören. Unterstreichen Sie Ihre Aufmerksamkeit mit einem Lächeln, einem vom Herzen kommenden Lächeln und einer entsprechenden Körperhaltung. Das Gegenüber muss Ihre Aufgeschlossenheit, Ihr echtes Interesse, wirklich *fühlen* können.

Wenn Sie in Gedanken nur bei Ihrem Wunsch – *Wie kann ich den für mich gewinnen?* – sind, dann ist Ihre Aufmerksamkeit nur auf Sie selbst und Ihre Interessen gerichtet. Viele Informationen des anderen werden Ihnen entgehen. Konzentrieren Sie sich auf das Gegenüber, konsequent, offen und interessiert, dann erst können Sie zu ihm eine Beziehung aufbauen, die bereichernd für beide ist.

Sollte Ihr Einwand jetzt sein, *sooo einfach ist das wieder nicht*, dann kann ich Ihnen nur recht geben. Es bedarf einiger Übung, sich voll auf ein Gespräch zu konzentrieren. Sie sollten weder bewerten, noch irgendeinen Satz durch Ihre Erfahrungen filtern oder durch Ihre Brille sehen und vor allem nichts in das Gehörte hineininterpretieren. Agieren Sie aus Ihrer Mitte, aus Ihrer Seele heraus, unvoreingenommen, frei und offen. Üben Sie einfach erwartungsvoll und kreativ hinzuhören.

Das lohnt sich, wenn Sie Beziehungen aufbauen, erhalten, pflegen oder auch alte wieder herstellen möchten. Das System, alte Beziehungen wieder aufleben zu lassen, ist sehr einfach – beginnen Sie dort, wo Sie in dieser Beziehung stehengeblieben sind. Knüpfen Sie dort an, wo Sie den anderen aus den Augen verloren haben.

Fragen Sie,

- wie es ihm/ihr ergangen ist
- was er/sie seither gemacht, erreicht hat
- fragen Sie ob er/sie verheiratet ist, Kinder hat

- nach gemeinsamen Bekannten, Erinnerungen
- ob das, was er/sie wollte eingetroffen ist.
- Lachen Sie mit ihm über Erlebnisse.
- ... ...

Sollten Sie den anderen anrufen, so erzählen Sie, wie Sie sich an ihn/sie erinnert haben, was der Anlass war. Nehmen Sie das als Einstieg, um die Beziehung wieder zu intensivieren.

Der andere steht für Sie immer im Mittelpunkt, er hat Ihre volle Aufmerksamkeit und Sie können gezielt Ihre Fragen stellen, sobald eine freundschaftliche Basis hergestellt oder wieder aufgefrischt ist. Entdecken Sie das Einzigartige und Einmalige, das Kostbare des anderen. Jeder Mensch hat liebenswürdige Seiten, hat Stärken, Schwächen und Überzeugungen, und Sie dürfen ihn als Mensch, in seinem So-SEIN, annehmen und akzeptieren.

Stellt sich heraus, dass das Gespräch nicht den von Ihnen gewünschten Erfolg erzielt hat, dann fragen Sie sich:

- Habe ich tatsächlich hingehört?
- Habe ich wirklich vorurteilsfrei agiert?
- War ich tatsächlich mit meiner ganzen Seele anwesend?
- Habe ich alle indirekten Aussagen gehört?
- War meine Körpersprache authentisch?
- Habe ich vermitteln können, dass ich interessiert bin?
- ... ...

Sie haben alles beachtet, wirklich? Dann durften Sie üben, es war für Sie vorerst eben ein Übungsgespräch – damit Sie von Tag zu Tag besser werden. Sie können nämlich zurzeit auch überhaupt noch nicht abschätzen, welche Beziehung, welches Netzwerk, aus diesem Gespräch noch entstehen wird.

Sollten Sie jetzt sagen, *ich versuch das einmal bei nächster Gelegenheit*, dann haben Sie jetzt schon Ihre Entschlusslosigkeit, ein Gefühl der Ohnmacht und mangelndes Engagement manifestiert. Oder haben Sie Angst davor, wie der Versuch ausgehen könnte? Dann sind Sie überzeugt von Ihrer Unzulänglichkeit mit etwas klar zu kommen und Ihre Überzeugung ist Ihre Perspektive. Wie wäre es, wenn Sie sagen, das tue ich beim nächsten Mal. Das mache ich. Das klingt doch bestimmter, aufbauender, positiver und neugieriger.

Gehen Sie lebensfroh und aktiv in das nächste Gespräch. Durch dieses Umdenken verändert sich Ihre Einstellung zum Leben und Ihre neue Energie wird zum Ausdruck kommen. Lassen Sie Ihr SEIN aus sich herausfließen und die richtigen Worte, die richtigen Körperreaktionen werden automatisch Ihr Tun unterstreichen.

Sie bauen so Vertrauen auf und geben dem Menschen das Gefühl, angenommen, akzeptiert und verstanden zu werden. Es wird eine innige Beziehung entstehen und viele interessante, aufbauende und richtungsweisende Gespräche werden stattfinden. Sie stärken dadurch Ihre Selbstsicherheit, Ihr Selbstbewusstsein und auch Ihren Glauben an sich selbst. Ihre neue Ausstrahlung wird alle Menschen in Ihrem Umfeld bereichern und Ihre Gesellschaft wird gesucht werden, denn jeder fühlt Ihre Beziehungsfähigkeit.

Sie haben garantiert etwas in Gang gesetzt, das der Andere in angenehmer Erinnerung behält. Er ist von Ihnen angenommen, akzeptiert und verstanden worden und fühlte Ihr Interesse und Ihre Menschlichkeit. Er hat sich sicher auch sehr gut gefühlt, denn so wie Sie hat wahrscheinlich schon lange keiner mehr mit ihm gesprochen.

In unserer heutigen Zeit wird wenig im persönlichen Kontakt kommuniziert. Über Handy, E-mail und SMS, ja, da werden Infos hin- und her geschickt. Nur, wer spricht mit dem Nachbarn beim Zeitungholen ein paar Worte, wer richtet im Supermarkt an die Dame an der Kasse ein paar aufmunternde Worte?

Lachen Sie? Auch so können Netzwerke entstehen:

- Eine Plauderei bei einem Glas Wein, so nebenbei geführt, brachte eine Lawine von Netzwerk-Verbindungen zustande.

- Eine Oma im Park mit dem Enkelkind auf dem Schoß war der Anlass für eine fröhliche wöchentliche Gesprächsrunde.

- Eine Plauderei mit der Friseurin ergab, ihr Traum wäre eigentlich ein Beruf im Gesundheitswesen gewesen, ein Tipp und sie erfüllte sich ihren Traum.

- Beim Zeitungholen den Mann auf seinen, plötzlich schlechten Gang angesprochen und eine Gesundheitsberatung war das Ergebnis.

- Ein freundliches, offenes Hallo, so nebenbei im Club und eine Kette von Freundschaften wurde in Gang gesetzt.

Nutzen Sie auch immer die jeweilige Situation für einen Gesprächseinstieg. Zeigen Sie Ihrem Gegenüber Ihr menschliches Interesse – bitte keine Neugier – und bringen Sie Ihre gute Laune und Ihre Herzlichkeit in das Gespräch. Jeder Mensch wird Ihnen dankbar sein für die Beachtung, die er durch Sie erhält und gerne mit Ihnen plaudern. Wenn Sie dann auch auf das hören was der Andere zu sagen hat, ist der erste Schritt für ein Netzwerk an Freundschaften, Geschäftskontakten und Empfehlungen gelegt. Probieren Sie es einfach aus.

Mut steht am Anfang des Handelns,
Glück am Ende.

Demokrit

Bauklötze

Ein Kind hatte bei einem seiner Freunde einen wunderschönen Turm aus schönen bunten Bauklötzen gesehen. Es ging zu seinem Vater und sagte: „Vater, bekomme ich auch so einen schönen Turm?“ Der Vater kaufte seinem Kind einen Baukasten mit schönen bunten Bauklötzen. Er kam mit dem Karton nach Hause und kippte die schönen Bauklötze direkt vor seinem kleinen Jungen aus.

Das Kind spielte ein bisschen mit den Bauklötzen herum und fragte schließlich seinen Vater: „Vater, wann bekomme ich denn nun diesen schönen Turm?“ Der Vater antwortete: „Liebes Kind, ich habe dir all dieses herrliche Material gegeben, was nötig ist, um deinen Turm zu bauen. Gebrauche deine Hände und deine Fantasie und bau´ ihn dir selber.“

Kontakte aufbauen

Das ganze Leben ist ein Netzwerk von Kontakten und Begegnungen. Auf unserem Lebensweg treffen wir diesen Menschen, gehen ein Stück gemeinsam und trennen uns wieder. Andere Menschen treten in unser Leben, begleiten uns oder kreuzen nur den Weg. Durch verschiedene Entwicklungsstufen oder persönliche Veränderungen trifft man neue Partner, verliert sich aus den Augen und trifft sich vielleicht wieder irgendwo, in irgendeiner Situation. Es ist ein andauerndes Kommen und Gehen, Begegnen und Bereichern, voneinander Lernen und durch den anderen Gewinnen. Das ist das Leben, eines jeden einzigartiges Leben.

Nehmen und geben, aufbauen und bereichern, das sollte der Grundgedanke jedes Menschen sein. Denn eigentlich ist jeder von uns ein Dienstleister. Ob Friseurin, Automechaniker, Bäcker, Buchhalterin, Verkäufer, Bauer, Kindergärtnerin, einfach jeder.

Wenn Sie nicht mehr zu diesem Friseur gehen, Ihr Auto nicht mehr in diese Werkstatt bringen, Ihre Brötchen woanders kaufen, das Kind in einem anderen Kindergarten einschreiben, dann werden diese Geschäfte und Institutionen schließen müssen. Jeder Chef und jeder Mitarbeiter, jeder Beamte und Freiberufler sollte also sehr daran interessiert sein, gute Kontakte und Beziehungen zu den Kunden, Abnehmern, Auftraggebern herzustellen.

Beobachten Sie einmal Ihre Mitmenschen und Sie werden sehen, die Wirklichkeit sieht ganz anders aus.

> *Ich war in einem großen Kaufhaus und wollte mir einen Rock kaufen. Leider waren zu diesem Zeitpunkt die aktuellen Rocklängen für*

meinen Geschmack etwas zu lang. Nachdem die Verkäuferin mir nicht weiterhelfen konnte, hat sie vollkommen richtig reagiert und den Abteilungsleiter zu Hilfe gerufen.

Was glauben Sie, was seine Antwort auf meinen Wunsch war: Wenn Sie einen Rock in dieser Länge möchten, dann müssen Sie warten, bis diese Länge wieder modern wird.

Poing! Es wäre doch eine super Dienstleistung gewesen, mir den Vorschlag zu machen, die hauseigene Reparaturwerkstatt könnte den Rock, der mir gefällt, auf die von mir gewünschte Länge kürzen. Auch den geringen Aufpreis für die Änderung hätte ich gerne bezahlt. Ich wäre eine glückliche, wiederkommende Kundin gewesen. Nur, nach seiner Antwort bin ich einfach gegangen ... und habe dort nie mehr etwas gekauft.

Eine Kollegin und ich, wir haben für ein großes Einkaufscenter eine Befragung durchgeführt. Über Kundenfreundlichkeit, Preise, Sortiment, Kompetenz, Produktwissen und einiges mehr. Das Ergebnis war erstaunlich. Bloß weil die Preise sehr günstig waren, das Sortiment groß und breit gefächert, sind die Menschen gekommen. Weder die fehlende Kompetenz, noch das geringe Produktwissen hat die Käufer richtig gestört, das nahmen sie alles in Kauf, wegen der günstigen Preise, des idealen Standorts und des großen Angebots.

Eines jedoch störte die Kunden wirklich sehr und es kamen gewaltige Emotionen bei dieser Befragung zum Vorschein. Es war die Unfreundlichkeit der Mitarbeiter und ihre griesgrämigen Gesichter.

> *Nach der prozentualen Auswertung der Befragungsbögen habe ich das Ergebnis der Geschäftsleitung übergeben und was glauben Sie, hat sich geändert? Eine Woche später hatten alle Verkäufer Anstecker mit dem Text: Ich lächle für Kunden ... ...*

Das war alles, sonst änderte sich nichts, auch gelächelt hat keiner – obwohl gerade aus dieser Situation heraus eine neue Kundenbindung, ein festes Kundennetzwerk durch Mundpropaganda entstehen hätte können. Übrigens, die Firma gibt es nicht mehr.

> *Ich stand am Bankschalter hinter einer älteren Dame, die – wahrscheinlich durch Rheuma bedingt – ihre Kundenkarte kaum aus dem Etui herausziehen konnte. Die Bankangestellte sah ihr zu, sah ihr zu und sah ihr zu ... solange, bis die Dame es endlich geschafft hatte.*

Wäre doch sehr nett gewesen, wenn die Bankangestellte die Dame gefragt hätte: *Darf ich Ihnen helfen?* Nur, dazu hätte sie Verständnis haben müssen, Verständnis für die Schwierigkeiten des Alters und für die Problematik, die Krankheiten mit sich bringen. Hilfsbereitschaft und ein liebevolles Umgehen mit dem Nächsten stand an diesem Tag leider nicht auf ihrem Programm. Diese Bankangestellte war im Moment nur auf sich selbst fixiert, in sich versunken. Sie stand praktisch mit *geschlossenen* Augen hinter dem Bankschalter und träumte vor sich hin. Sonst hätte sie *gesehen*, welche Schwierigkeiten die Dame hat und auch das Unvermögen *gefühlt*, die Karte aus dem Etui zu ziehen.

Unabhängig davon, die alte Dame hat sich so geschämt über ihre eigene Unfähigkeit – ihre Verzweiflung war greifbar.

Desinteresse oder mangelndes Engagement zeigt auch die Verkäuferin im Laden, die ein forsches *„Haben wir nicht“* über die Theke schmettert, ohne ein Gegenangebot zu machen, was sie anstelle von ... anbieten könnte. Wie oft wird es unterlassen,

- auf die nächsten Sonderangebote aufmerksam zu machen,
- Aktionen anzukündigen,
- besondere Events zu erwähnen,
- ergänzende Waren anzubieten,
- Neues zu erwähnen
- ... ...

In all diesen Beispielen wurde verabsäumt, interessiert zu sein und eine Kundenbindung herzustellen, die normalerweise automatisch in ein Netzwerk übergeht. Nach dem Motto, dort musst du hingehen, die sind nett, höflich oder hilfsbereit.

Das Leben ist ein Bumerang,
was Sie geben, kommt zu Ihnen zurück.

Höre ich jetzt: *Ja aber ... ich bekomme doch so viel Druck von der Geschäftsleitung, alles muss schnell gehen und zu wenig Angestellte sind wir auch!* Aha, und diesen Druck geben Sie einfach weiter? Es ist Ihr Arbeitsplatz, ist es Ihr Leben? Was glauben Sie, wie lange so eine Situation gut geht, die Kunden noch kommen und Sie Ihren Arbeitsplatz behalten? Die Konkurrenz ist groß und auch die Geschäftsleitung wird das früher oder später am Umsatz spüren.

Arbeitsdruck, Angst und Ärger tragen kaum dazu bei, dass Sie sich auf Ihrem Arbeitsplatz wohlfühlen. Diese

Energie, die Sie in so einer Situation ausstrahlen, geben Sie auch an das Gegenüber weiter. Der Kunde nimmt diese Negativität auf und das verändert auch seine Stimmung und Schwingung. Sein ganzer Tag kann beeinflusst sein. Besonders dann, wenn er sich seinem Partner, Kollegen oder Nachbarn gegenüber über das unhöfliche Personal ausgiebig auslässt und das vorgefallene schön breit redet. Es entsteht ein Kreislauf aus negativen Energien, der die Lebensqualität jedes Betroffenen dezimiert.

Der Schlüssel zum Erfolg – das ist Dein Gegenüber.

Ich weiß, ich weiß, Sie sind in Zukunft anders, Sie werden

- auf den Menschen eingehen
- aktiv agieren
- für den Nächsten mitdenken
- positiv mit dem Kunden fühlen
- im Interesse der Firma reagieren
- ... ...

Sollte es in der Firma oder mit der Geschäftsleitung Schwierigkeiten geben, so werden Sie

- widrige Umstände ansprechen
- Vorschläge für Verbesserungen machen
- gewinnbringend mitdenken
- ... ...

Ab sofort sehen Sie Ihr Leben, Ihren Job als eine bereichernde, aufbauende, beglückende Dienstleistung am Nächsten, die ihn und Sie mit Zufriedenheit und Wohlbefinden erfüllt.

Wenn jeder in seiner Familie, in der Nachbarschaft und in seinem jeweiligen Umfeld aktiv agiert, aufmerksam und liebevoll mit dem Nächsten umgeht, wird der Tag und die Welt heller.

Wenn du arbeitest bist du wie eine Flöte,
in deren Herz das Flüstern der Zeit zu Musik wird.
Wer von euch möchte nur ein Rohr sein,
dumpf und still,
während sonst alles singt in Harmonie?

Immer ist euch gesagt worden,
dass Arbeit ein Fluch sei
und Beschäftigung ein Unglück.

Aber ich sage euch:
Wenn ihr arbeitet,
so erfüllt ihr einen Teil
aus dem höchsten Traum der Erde,
der euch zugeteilt worden ist,
als dieser Traum geboren wurde;
und wenn ihr mit etwas beschäftigt seid,
liebt ihr in Wahrheit das Leben;
und wenn ihr die Mühen des Lebens liebt,
seid ihr dem tiefsten Geheimnis des Lebens nah.

Khalil Gibran

Network-Marketing

Ein besonderes Kapitel möchte ich dem Network-Marketing widmen. Gerade in dieser Branche wird sehr viel von dem, was auf den vorherigen Seiten stand, negiert oder kaum beachtet.

Hier wäre der Aspekt der Dienstleistung besonders groß. Es wird wohl immer wieder gesagt, es ist ein Geschäft von Mensch zu Mensch und doch wird der Dienstleistungsgedanke – du als Mensch und deine Weiterentwicklung ist mir wichtig – sehr oft außer Acht gelassen.

> *Mit einer Freundin bin ich auf einem Tagesseminar gewesen, das Thema war:* Menschen gewinnen. *Ich habe das Seminar relativ gut gefunden, bis der Vortragende den obligatorischen Schlusssatz sagte, nämlich: Hat noch jemand eine Frage?*
>
> *Einige meldeten sich und stellten Fragen bezogen auf die vergangenen Seminarstunden. Zuletzt stand ein junger Mann auf und sagte: „Ich habe einen Freund auf eine Präsentation eingeladen und bereits auf der Fahrt dorthin sagte er: Verkaufen tu ich aber nicht. Was habe ich falsch gemacht?"*
>
> *Der Vortragende gab ihm zur Antwort: „In 14 Tagen ist das … Seminar dort wird das behandelt."*

Und schon wieder einmal sage ich: poing!

Die Antwort des Vortragenden war wie ein Kübel kaltes Wasser über den Kopf. Wie leicht hätte er dem jungen Mann einen Gedankenanstoß geben und uns alle für das nachfolgende Seminar gewinnen können, wenn er eine einfache Frage gestellt hätte, z.B.

- Wie haben Sie ihn angesprochen? oder
- Was sagten Sie ihm über die Präsentation?
- Wie lief Ihr Einladungsgespräch?
- ... ...

... und dann: *Ich freue mich, Sie beim nächsten Seminar zu sehen.*

Er hätte somit uns allen den Grundgedanken des kommenden Seminars bereits impliziert, den jungen Mann zum Nachdenken gebracht und beim Folgeseminar sicher einige Zuhörer mehr gehabt.

Leider ist das eine sehr verbreitete Angewohnheit, Meetings, Meetings, Präsentationen und nochmals Präsentationen abzuhalten. Möglichst vor sehr vielen Menschen, damit auch wirklich sehr viele Neue in das Geschäft einsteigen. Sehr gut ausgebildete Coachs, rhetorisch fantastisch, agieren oft wie Aufputscher und locken mit großen Erwartungen die Zuhörer.

Es wird mit Zahlen jongliert, es werden Geschichten erzählt und Beispiele aufgezeigt unter dem Motto: Das, was ich kann, kannst du auch. Es wird mit Versprechungen geködert, es werden Unterstützungen zugesagt, große Erwartungen geschürt und fantastische Zukunftsbilder imaginiert. Aufgepumpt wie Luftballons gehen die Menschen aus den Meetingräumen und sagen: Wow, das war super! Die Ernüchterung ist hinterher oft umso schlimmer. Einige Tage später stellen Sie sich nämlich die Frage: Und wie fange *ich* jetzt *wirklich* an?

Noch schlimmer ist es, wenn viel Mühe und Zeit in Ausbildungen gesteckt wird und nach einigen Wochen oder

Monaten muss der Networker erkennen, er kommt nicht vom Fleck. Die Folge ist die weit verbreitete Meinung: Network-Marketing funktioniert nicht. Der Enttäuschte erzählt das seinem Freund, der einem anderen und der sagt es wieder irgendjemandem. Es entsteht eine Wahrnehmung aus zweiter, dritter, vierter Hand, die von Person zu Person aufgebauscht wird und sich hartnäckig hält.

Dabei liegt gerade im Network-Markting eine fantastische Chance,

- das Leben frei zu gestalten
- haupt- oder nebenberuflich Geld zu verdienen
- interessante Menschen kennenzulernen
- sich Träume erfüllen
- in jedem Alter zu beginnen
- ... ...

Wenn Sie

- Mut zur Selbstverantwortung haben
- offen sind für Neues
- gerne und mit Freude kommunizieren
- offen und vorurteilsfrei hinhören können
- gütig mit Menschen umgehen können
- ... ...

Dann dürfen Sie (auch in jedem anderen Beruf)

- sich Tag für Tag neues Wissen aneignen
- Ihre persönliche und fachliche Kompetenzen weiterentwickeln
- sich Herausforderungen stellen
- gemeinsam mit anderen das Leben gestalten
- über sich selbst hinauswachsen
- ... ...

Das alles, sobald Sie beginnen, sich selbst und die Dinge zu hinterfragen, gleich aus welcher Richtung sie kommen. Die Ansichten und Aussagen sind sonst immer durch die Sichtweise des anderen gefiltert oder durch seine Erfahrungen gefärbt.

Es gibt trotzdem einige Stolpersteine, die Ihnen den Anfang schwer machen können und die Sie möglichst vermeiden sollten. Einer davon ist, die 100-Leute-Liste, wenn Sie mit dieser anfangs keinen Erfolg verbuchen können. Einwände wie: *Ich habe dafür keine Zeit, damit will ich nichts zu tun haben, ich will nicht verkaufen* demoralisieren. Besonders dann, wenn Sie überhaupt noch nichts sagen, erklären oder Ihr Network präsentieren konnten.

Schwierig kann es auch werden, wenn Sie über materielle Wünsche, zum Beispiel ein neues, großes Haus, an das Network-Marketing herangehen. Als Anfänger werden Sie wahrscheinlich nach den ersten zehn *Nein* etwas entmutigt sein, nach den nächsten zehn *Nein* frustriert und irgendwann sagen auch Sie: Network-Marketing funktioniert nicht – ich brauch das Haus nicht. Diese Aussage entsteht, weil Sie noch keinen Erfolg erzielt haben, eben zu viele Neins erhalten haben.

Besonders deprimierend kann so eine Situation für Sie auch werden, wenn Sie aus einem unselbstständigen Berufszweig kommen, Sie noch Bedenken wegen der Selbstständigkeit haben und deshalb Ihr Selbstwertgefühl in Richtung Eigenständigkeit noch schwach ausgeprägt ist. So entstehen auch viele erhebliche, jedoch unberechtigte Vorbehalte gegen Network-Marketing.

Auch die Vorgehensvorschläge der meisten Sponsoren oder Mentoren, die den Neuen bei den Seminaren oft eingehämmert werden, sind kaum für jeden machbar:

- Erzähl jedem, was du jetzt machst
- Erzähl jedem, dass du das große Haus in Spanien willst
- Arbeite auf deine Ziele und Wünsche hin
- Du musst das nur wirklich wollen
- Sag jedem, du möchtest ihn in deiner Gruppe haben
- Du musst es genauso machen wie dein Sponsor
- Sei begeistert und ...
- ... ...

Schlagworte, Phrasen und oberflächliche Programmierungen.

Damit Sie wirklich überzeugen, sollten Sie Sie selbst sein, Ihr SEIN und Ihre Lebensaufgabe leben. Darüber später etwas mehr.

Vergessen Sie möglichst auch den einstudierten, vorgegebenen Text Ihrer Network-Präsentation. Sie können dem Gegenüber kaum Ihre volle Aufmerksamkeit schenken, wenn Sie immer daran denken müssen, wann, wie und an welcher Stelle Sie das sagen sollen, was Ihnen eingehämmert wurde.

Ist es denn wichtig, was *Sie* sagen sollen? Nein! Es ist für Sie wichtig was der andere am Herzen hat. Was er sagt und was hinter dem steht, was er sagt. Was er also wirklich denkt, oft auch ohne es in Worte zu fassen, dort liegt Ihr Einstieg in das Gespräch.

Warum sagt er das,
was er sagt,
so wie er es sagt und
was steckt eigentlich dahinter?

Sie sollten sich voll und ganz auf Ihr Gegenüber konzentrieren und an nichts anderes denken. So bekommen Sie genau die Informationen, die es Ihnen ermöglichen, ein gutes Gespräch zu beginnen. Wenn Sie seine Interessen und Werte herausgefunden haben, können Sie Ihr Network seinen Werten anpassen.

Die Wolle liefert das Gegenüber (Interessen und Werte), die richtigen Stricknadeln zu finden (Lebensaufgabe, Vorgehensweise) helfen Sie ihm, ein Strickmuster liefern Sie ihm durch Ihr Network (Marketingplan und Produkte). Nur, stricken muss er selber, es ist sein Kleid (aufgrund seiner Interessen und Werte).

In dem Moment, wo er selber anfängt zu stricken, wird er auch den anderen so helfen, wie Sie ihm geholfen haben. Nämlich, die richtige Wolle (Interessen und Werte) und die richtigen Stricknadeln (Lebensaufgabe, Vorgehensweise) zu finden. Das Strickmuster, das Network mit Produkten und Marketingplan bleibt bei jedem neuen Interessenten gleich.

Jedes Netzwerk und besonders das Network-Marketing ist ein *Beziehungsgeschäft.* Es geht darum, mit dem anderen schnell und tief greifend in eine Beziehung zu treten, auf der Grundlage der Werte, die ihm wichtig sind.

> *Ich hatte eine Mitarbeiterin, die vor einiger Zeit schon einmal in einem anderen Network gearbeitet hat. Dort hat sie auch die so sehr verbreiteten Pauker-Motivations-Seminare mitgemacht. Jetzt wollte Sie bei der Network-Firma arbeiten, bei der ich bin. Vorerst hat sie nur Produkte disponiert und darüber von mir auch Informationen erhalten. Jedoch ohne irgendein weiteres Gespräch, ohne grundlegende Information oder ein Gespräch, wie sie am besten*

starten könnte (Interessen, Werte, Lebensaufgabe, Vorgehensweise), fragte sie alle Ihre Kollegen, Freunde und Bekannten, ob diese bei ihr mitarbeiten möchten.

Was glauben Sie, wie die Reaktionen waren?

Nein, ich verkauf nichts! Nein, ich kenne da ...! Nein, nein, nein, ... alle nur denkbaren Vorbehalte gegen das Network-Marketing bekam sie zu hören ... und sie hörte auf, bevor sie begonnen hatte – weil Network-Marketing ja doch nicht *funktioniert ...*

Ein weiterer schwieriger Ansatz ist das Erzählen der eigenen Geschichte. Stellen Sie sich vor, Sie treffen jemanden und erzählen ihm, wie schlecht es Ihnen gegangen ist, welche Probleme Sie hatten, ... bis ...

Ich glaube, weiter werden Sie mit Ihrer Erzählung nicht kommen, außer Sie reden einfach weiter. Der andere ist in Gedanken schon bei seiner eigenen Lebenserfahrung, in seiner Erfahrungswelt hängengeblieben und die ist wahrscheinlich negativ. Er hat viel Schlimmeres erlebt und ihm ist es viel schlechter ergangen und, und ...! Die ganze Energie des Gespräches und alles rundherum wird negativ und schwer und ich glaube, es wird für Sie fast unmöglich sein, das Blatt zu wenden, um Ihren gut gemeinten, positiven Ansatz vorzubringen.

Sollten Sie jedoch auf einen Menschen stoßen, der bereits versiert ist in kreativem Hinhören – dann brauchen Sie Ihre Geschichte sowieso nicht. Die Ausgangsbasis für ein gutes, konstruktives, aufbauendes Gespräch ist sofort eine andere. Wenn Sie dann noch Ihr Selbst leben und das Gespräch mit Herzlichkeit und Verständnis führen, haben Sie schon gewonnen.

Dabei ist ein ganz entscheidender Punkt im Network-Marketing, dass Erfolge dauerhaft sind, denn was nützt es, nur für kurze Zeit an den großen Traum zu glauben? Funktioniert die Umsetzung nicht, ist die Ernüchterung hinterher umso schlimmer und in der Regel schiebt man dann wieder einmal der Branche die Schuld in die Schuhe.

Um der anfänglichen Erfolglosigkeit zu begegnen, werden von vielen Marketinginstitutionen, Beraterfirmen und Coachs Seminare über Seminare angeboten. Oft vor 300 und mehr Menschen werden Vorträge abgehalten, von wirklich guten Leuten, mit einigen Motivationsbeispielen und vielleicht auch Übungen, jedoch meist mit vielen allgemeinen Aussagen. Die Hörer gehen hinaus mit einem super Gefühl, begeistert und gepuscht. Frage ich anschließend nach, was für denjenigen herausragend oder interessant war, was er heute schon, sofort wirklich umsetzen kann. Ob er einen gravierenden Denkansatz, einen guten Motivationssatz für sich gefunden hat, dann höre ich oft: ... äähhh, ich muss nachschauen ... was ich aufgeschrieben habe.

Blieb nichts im Kopf, im Gefühl, in der Seele hängen? Ach, im Gefühl sicher, denn gerne erinnert sich der eine oder andere an einen Vortrag, der *umwerfend* war. Nur, was konnte der Hörer wirklich für sich umsetzen?

Sehr oft habe ich dann das Aufgeschriebene mit dem Vortrags-Hörer aufgearbeitet, um den roten Faden, das Mach- und Brauchbare für diesen Menschen herauszufiltern, damit eine Umsetzung möglich ist. Eine Umsetzung in ein effizientes, menschliches Agieren.

Jeder Networker kennt seine Produkte und den Marketingplan genau, das zu schulen dauert 1 – 1 ½ Stunden, damit hat der Neue für den Anfang die Basis, mit der er hinausgehen kann. Das reicht vollkommen! Einzelheiten über die Firma, Kenntnisse aller Produkte und den kompletten Marketingplan, das erfährt der Neue in den folgenden Wochen.

Was ist jedoch das wichtigste, der erste Schritt in jedem Netzwerk? ... Der Mensch, der Ihnen gegenübersitzt oder steht. Seine Werte und was für ihn wichtig ist. Sie brauchen mit dem Neuen auch keine gemeinsamen Interessen haben. Gemeinsam sollte nur eines sein und das ist das Wichtigste überhaupt, *Sie sollten Menschen mögen.*

> *Ich hatte einen Interessenten für das Network-Marketing, mit dem ich eine Einleitungs-Plauderei hielt. Nach einiger Zeit wunderte ich mich über seine Antworten und fragte ihn geradeheraus: Sagen Sie, mögen Sie eigentlich Menschen? Was, glauben Sie, bekam ich zur Antwort? Nein, ich bekam ein eindeutiges – Nein!*

Wie kann dieser Interessent in einem Netzwerk erfolgreich werden, wenn es ihm nur um *sein* Haus, *sein* Auto, *seine* Millionen, *sein* Wohlbefinden geht?

In jedem Netzwerk, auch im Network-Marketing, geht es darum, Beziehungen aufzubauen, Freundschaften auszubauen, Partnerschaften anzubieten und sich gegenseitig zu entwickeln. Sobald Sie offen und aufgeschlossen, ohne Ihren Erlebensfilter, Ihre Vorstellungen und Generalisierungen an Ihr Gegenüber herangehen, hinhören und mit ihm reden, sind Sie auf dem besten Weg, eine unwahrscheinlich *anziehende* Persönlichkeit zu werden.

Und nun möchten Sie im Network-Marketing oder beim Netzwerken erfolgreich werden. Sie haben vieles gelesen, vieles gelernt, Vorträge und Seminare besucht und kommen doch nicht so richtig vom Fleck? Obwohl Sie so vieles schon probierten, fehlt Ihnen noch ein kleines Quäntchen für Ihren großen Erfolg?

Vergessen Sie kurz alles, was Sie über das Netzwerken und Network-Marketing gelesen haben und lassen Sie sich ein auf ein Abenteuer über den Lebenssinn, Ihre Werte und Ihre Lebensaufgabe, und darüber, wie Sie und Ihre Partner mehr Lebensfreude gewinnen können.

Ich will Ihnen etwas nahebringen, das mich inspiriert, jeden Tag aufs Neue mit Lust auf den Tag und das Leben aus dem Bett zu springen.

Entwickeln und leben Sie Ihr Selbst
und die Welt gehört Ihnen.

Im Gegensatz zum Tier sagt dem Menschen kein Instinkt,
was er muss,
und im Gegensatz zu den Menschen früherer Zeiten
sagt ihm keine Tradition mehr, was er soll –
und nun scheint er nicht mehr recht zu wissen,
was er eigentlich will.

Viktor E. Frankl

Lebenssinn

Haben Sie sich auch schon gefragt: *Welchen Sinn hat mein Leben* oder *wozu lebe ich?*

Zu welcher Erkenntnis, zu welchem Schluss sind Sie gekommen, was ist Ihnen dazu ein- oder aufgefallen? Oder haben Sie sich diese Frage schon lange nicht mehr gestellt?

Ich möchte Ihnen einige Gedanken großer Denker nahebringen, um meine Einstellung zu diesem Thema etwas zu untermauern.

Über dieses Thema können Sie bei den Naturwissenschaftlern, den Philosophen und den Religionen nachlesen und Sie werden Überraschendes feststellen. Trotz der unterschiedlichen Wissensgebiete sind die Auffassungen, Deutungen und Auslegungen des Themas Lebenssinn sehr konform.

Naturwissenschaftler befassen sich mit der Sinnfrage meist sehr wenig. Der Psychologe Viktor E. Frankl hat jedoch einige schöne Bücher geschrieben und sehr treffende Aussagen zum Leben und zum Lebenssinn gemacht. Ich habe ihn in diesem Buch schon einige Male zitiert und möchte Ihnen seine Interpretation vom Sinn des Lebens nicht vorenthalten. Ich möchte Ihnen damit auch ein erstes Teilstück des Lebenssinns in meiner Interpretation nahebringen.

Viktor Frankl (1905-1997) meinte, es gibt drei verschiedene Wege, die zum Sinn des Lebens führen:

- kreative Werte
- Erfahrungswerte
- Einstellungswerte

Mit kreativen Werten meinte er

- die Arbeit, die wir ausführen
- Hobbys, die wir pflegen
- künstlerische Tätigkeiten

Erfahrungswerte waren für ihn

- Erlebnisse in der Liebe
- Gefühle der Gemeinsamkeit
- sinnstiftende Erfahrungen durch Natur und Kunst

Als Einstellungswerte betrachtete er die menschliche Fähigkeit,

- trotz widriger Umstände positiv zu leben
- auch das schwierige Schicksal anzunehmen
- immer weiter leben zu wollen.

Leben Sie diese von Viktor Frankl aufgestellten, kreativen Werte, die Erfahrungs- und die Einstellungswerte? Leben Sie diese, im wahrsten Sinn des Wortes?

Alfred Adler (1870-1937) ging auch davon aus, dass ein Mangel an Sinnerfülltheit im Leben zu psychischen Krankheiten führen kann. Stellen Sie sich vor, Sie müssten ein Leben ohne Freude, Liebe, Frieden, Befriedigung, Toleranz und Güte führen. Wenn Sie das wirklich müssen, ist eine Erkrankung Ihrer Seele kaum auszuschließen.

In der Philosophie können Sie beim griechischen Philosophen Aristoteles (384-322 v. Chr.) beginnen, er sagte: Das Ziel des menschlichen Lebens und die Erfüllung, liegt im glückerfüllten Leben. Im Erlangen der Glückseligkeit.

Epikur (341-270 v. Chr.) hingegen sah den Sinn des Lebens im lusterfüllten Leben. Wobei der Begriff lusterfüllt sich vom heutigen sehr deutlich unterscheidet, damals stand der Begriff für ein gerne gelebtes, freudiges Leben.

Auch die anderen Philosophen sagen sehr deutlich:

- Liebe das Leben.
- Freue dich des Lebens.
- Erkenne und entwickle dich immer wieder neu.

Der deutsche Philosoph Martin Heidegger (1889-1976) sah das *Wesen* und den *Sinn* des menschlichen Lebens etwas anders. Ich möchte ihn vereinfacht so zitieren: Der Sinn des menschlichen Lebens sollte sein, selbst handelnd und verstehend sich immer wieder neu zu entwerfen (entwickeln).

In den verschiedenen Religionen wird das Leben und sein Sinn wohl unterschiedlich behandelt, jedoch ist die Quintessenz bei fast allen gleich.

Das Christentum sagt, das Leben, im Allgemeinen wie für das Individuum, soll auf die Verwirklichung der Liebe zu Gott, sich selbst und zu den Mitmenschen gerichtet sein. Voraussetzung dazu ist jedoch ein Leben in Liebe.

Auch das Judentum und der Islam stimmen in der Ausrichtung der Sinnfrage – Erfüllung des göttlichen Willens – mit dem Christentum im Wesentlichen überein. Nur die spezifische Auslegung ist unterschiedlich.

Die östlichen Religionen betonen den Aspekt der Gesetzmäßigkeit, ob dies das Leben eines Menschen oder das Sein des gesamten Kosmos betrifft. Durch das Leben dieser Erkenntnis wird Erlösung und Erleuchtung erlangt, sofern ein Leben in Liebe, Güte, Verständnis, Toleranz, Achtung und Mildtätigkeit gelebt wird.

Die Quintessenz aus dem Bereich Religion ergibt:

- Liebe dich und deinen Nächsten.
- Erkenne und achte die Gesetzmäßigkeiten des Kosmos.
- Durch diese Erkenntnis und das Leben dieser Erkenntnis, wirst du Erlösung/ Erleuchtung erlangen.

Im „Hannöverschen Magazin" von 1786 wurde bereits die Aufgabe der Familie, die früher ja eine große Gemeinschaft war, beschrieben. Etwas altertümlich aber höchst aktuell stand dort:

> *Gegenseitige Rücksichtnahme, Anstand, Interesse füreinander, Duldsamkeit und Selbstbeherrschung, kurz: die Aufgabe, sich gemeinschaftlich und wechselseitig beständig zu veredeln und vervollkommnen.*

Das Wort veredeln bedeutete damals kultivieren, die Kultur wuchs also aus der Familie heraus. Das, was für das Leben wichtig war, die Werte, wurden damals noch in der Familie weitergegeben.

> *Bildung ist der Boden, den jeder Einzelne zu erwerben und immer wieder neu zu bestellen (kultivieren) hat.*
>
> *Karl Jasper*

Der Theologe und Naturwissenschaftler Teilhard de Chardin (1881-1955) sieht Leben und Kosmos in einer von Gott bewirkten, kreativen Bewegung, die noch nicht an ihr Ziel gelangt ist. Das Streben, also der Motor dieser Evolution, ist für Teilhard de Chardin:

Die Liebe - das letzte Ziel alles Seienden
und die ist im Herzen jedes Menschen
vollkommen verwirklicht.

Wenn ich jetzt die Ansichten und Aussagen zusammenfasse, so stimmen Sie mit mir sicher überein, dass für ein sinnerfülltes Leben wichtig ist:

- Liebe zum Leben,
- der Glaube an sich selbst und den anderen
- das Offensein für das Morgen
- die Beachtung der Gesetzmäßigkeiten und
- das fortwährende Sich-Entwicklen.

Ich möchte Ihnen jetzt als Ergänzung für dieses Kapitel sagen, was für mich der Sinn des Lebens ist. Was die Basis all dessen ist, was ich tue, denke und plane. Ich setze den Text der Bibelstelle Galater 5/ 22 in meine Worte:

> Sobald die Erkenntnis, alles ist EINS und du bist EINS mit allem, über dich gekommen ist, du dies mit allen deinen Sinnen erfasst hast, dann wirst du bedingungslos leben: Liebe, Güte, Freude, Treue, Frieden, Sanftmut, Geduld, Freundlichkeit und Selbstbeherrschung.

Sein heißt Einssein.

Thomas von Aquin

Fragen Sie sich einmal, ob das vielleicht doch auch Ihr Grundgedanke des Lebens werden kann, etwas wofür Sie sagen: Ja das kann ich tun. Stellen Sie sich Ihr Leben vor, wenn Sie so in den Tag hinausgehen, freudig, sanft, freundlich, gütig, friedvoll und voll Liebe für sich, den Nächsten, die Umwelt.

Überlegen Sie wirklich: Wäre das eine Basis für Sie, für Ihr Leben? Höre ich ein *ja wenn* oder ein *ja aber*. Durch welche Erfahrung, Erkenntnis, Prägung oder Programmierung filtern Sie das?

Bitte kein aber und kein wenn. Den Sinn des Lebens zu leben, das geht auch in unserer, ach so schnelllebigen Zeit, im Büro, in der Werkhalle, im Kaufhaus, in der Schule – tun Sie es einfach. Denn, gute

Arbeit ist sichtbar gewordene Liebe.
Khalil Gibran

Leben Sie

Sie wissen nun, dass Ihr Leben, und genauso das Leben jedes Menschen, dem Sie begegnen, von

- Vorstellungen
  (stehen vor der Realität, die ich ändern kann)

- Spuren des Lebens
  (Generalisierungen, die meist versteckt sind)

- Programmierungen
  (negative Glaubenssätze, die behindern)

- Prägungen
  (meist durch Erziehung und Elternhaus)

beeinflusst wird. Das läuft in Mustern ab, die jeder erforschen, überprüfen kann um dann die Einstellung zu diesen Problemen oder Situationen korrigieren.

Wie Sie bereits wissen, können aus diesen Situationen heraus die meisten Menschen kaum richtig hinhören. Aus Unsicherheit, Angst, einer Profilierung oder einem Minderwertigkeitsgefühl. Bedingt dadurch fehlt oft auch der Mut zu hinterfragen, was der andere wirklich meint. Die eigene Brille, durch die gesehen oder bewertet wird, steht im Weg.

Niemand – auch Sie nicht – darf sich dann wundern, wenn sein Tag, sein Leben, nicht so läuft, wie er sich das vorstellte. Ihr Denken überträgt sich auf Ihr Gefühl und Ihr Gefühl strahlt diese Energie aus. Energie, die das Gegenüber umfasst, ob Sie das beabsichtigen oder nicht, und so beeinflussen Sie nicht nur Ihren Tag, nein, auch Ihr ganzes Umfeld. Dabei wäre es relativ einfach, miteinander in Frieden, glücklich, kreativ, aufbauend, sinnerfüllt und somit befriedigend zu leben. Das möchten Sie doch?

Erfassen Sie also den Sinn des Lebens, erfühlen und verinnerlichen Sie ihn, und setzen Sie ihn dann um. Sie werden sehen, wie leicht Ihr Leben wird.

Verglichen mit dem,
was wir sein sollten
und sein könnten,
sind wir alle nur halbwach.
Nur von einem kleinen Teil
der in uns liegenden Möglichkeiten
machen wir Gebrauch.

Es geht darum,
Wachheit zu erreichen
und unsere
schlummernden Kräfte
und Fähigkeiten
für unser tägliches Leben
zu erschließen

Williams James

Werte

Bisher war jede Zeile dieses Buches für jeden Leser geschrieben, auf jeden anwendbar und für jeden umsetzbar. Wenn nun der Sinn des Lebens auch für jeden gleich ist, wäre doch alles uniform? Was unterscheidet also uns Menschen, was macht eigentlich Ihre Persönlichkeit aus? Die Lebensaufgabe! Die Lebensaufgabe, die sich herauskristallisiert aus Ihren Werten. Aus dem, was Ihnen heute wichtig ist.

Ihre Lebensaufgabe ändert sich im Laufe des Lebens. Dem Jugendlichen ist etwas Anderes wichtig als einem Erwachsenen, einem Mann vielleicht etwas Anderes als einer Frau, einem Rentner etwas Anderes als einem Menschen der im Berufsleben steht.

Einfach ausgedrückt, der Sinn des Lebens ist das Gerüst, Ihre Werte und die sich daraus ergebende Lebensaufgabe ist das Baumaterial – für Ihr glückliches und zufriedenes Leben. Wie würden Sie sich fühlen, wenn Sie jeden Tag mit Elan aus dem Bett springen und voll Freude in den Tag gehen, weil Sie das leben können, was Ihnen wichtig ist. Wäre das herrlich?

Nun, jeder Mensch hat andere Werte, die für ihn sehr wichtig sind, sein Leben bestimmen und gelebt werden möchten. Werden diese unterdrückt, kann der Mensch körperlich und geistig krank werden.

Die Werte können in verschiedene Gruppen eingeteilt werden und sagen sehr viel über Ihre Einstellung zu sich selbst und zu Ihrem Leben aus. Wenn Sie mehrere Ihrer Werte nur einer der nachstehenden Gruppen zuordnen können, dann könnte Ihr Leben etwas einseitig, jedoch trotzdem interessant sein. Die folgenden Zuordnungen sollen Ihnen helfen Ihre Werte einzureihen:

- innere Werte: Freundschaft, Liebe, Glück, Freude, Wohlbehagen, Harmonie, ...

- geistige Werte: Wissen, Weisheit, ...

- moralische Werte: Treue, Aufrichtigkeit, Gerechtigkeit, Freundlichkeit, Großzügigkeit, ...

- persönliche Werte: Taktgefühl, Ehrlichkeit, Vertrauenswürdigkeit, Mut, Fleiß, ...

- materielle Werte: Geld, Besitz, Wohlstand, ...

- religiöse Werte: Glaube, Liebe, Hoffnung, Nächstenliebe, ...

- politische Werte: Toleranz, Freiheit, Gleichheit

- ästhetische Werte: Kunst, Schönheit, ...

Was ist Ihnen im Leben wichtig, was sind für Sie Kriterien für ein angenehmes Leben? Was möchten Sie leben, wie können Sie Ihre Umwelt bereichern? Wie können Sie sich authentisch präsentieren?

Nehmen Sie einfach ein Blatt Papier und schreiben Sie richtig spontan drauflos. Nachgedachte Antworten sind meist konstruiert oder wurden gesagt, um zu imponieren, um besonders klug zu erscheinen oder gut dazustehen. Je spontaner Ihnen etwas einfällt, umso größer ist die Wahrscheinlichkeit, dass gerade das bei Ihnen zum Ausdruck kommen und von Ihnen gelebt werden möchte.

Wenn es Ihnen schwerfällt Ihre Werte und das, was Ihnen in den verschiedensten Lebensbereichen wirklich wichtig ist, herauszuarbeiten, dann möchte ich Ihnen eine Auswahl vorgeben. Nur glauben Sie mir, es wird für Sie kaum leichter werden.

- Humor
- Freundlichkeit
- Liebenswürdigkeit
- Offenheit
- Lachen
- Leichtigkeit
- Ehrlichkeit
- Hilfsbereitschaft
- Gleichheit
- Freude
- Achtung
- Toleranz
- Wissen
- Vermögen aufbauen
- Arbeit
- Verbundenheit
- Familie
- Spaß haben
- Freizeit
- Vertrauen
- Gesundheit
- Freiheit
- Finanzielle Sicherheit
- Integrität
- Abenteuer
- Spielen
- Erfolg
- Anerkennung
- Selbstvertrauen
- Ordnung
- Kinder
- Fröhlichkeit

- Kreativität
- Partnerschaft
- Beziehungen
- Kommunikation
- Weisheit
- Spiritualität
- Inspirieren
- Liebe
- Führungsqualität
- Welt verbessern
- Geduld
- Weiterbildung
- Hoffnung
- Engagement
- Miteinander
- Aufrichtigkeit
- Menschlichkeit
- Fairness
- Gerechtigkeit
- Reichtum
- Beziehungen aufbauen
- Gut leben können
- Begeisterung
- Leidenschaft
- Erfüllung
- Glück
- Höflichkeit
- Lernen
- Lehren
- Fürsorge
- Harmonie
- Menschen fördern
- Vorbild sein
- Verlässlich sein
- Neugierig sein

- Zeit haben
- Respekt
- Verständnis
- Informationen
- Persönliche Entwicklung
- Spirituelle Entwicklung

Jetzt sollten Sie sich entscheiden. Suchen Sie sich aus Ihrer Liste 10 Begriffe heraus und ordnen Sie diese nach Ihren Prioritäten. Was steht an erster Stelle in Ihrem Leben, was ist Ihnen wichtig? Lassen Sie sich Zeit, prüfen Sie, fragen Sie Ihre Seele und bleiben Sie dabei ganz ehrlich. Werte dominieren Ihr Denken und Ihr Handeln, nach Ihren Werten richten Sie Ihr Leben aus, ob Ihnen das bewusst ist oder nicht. Erst wenn Sie sich das bewusst, wirklich bewusst machen, können Sie Verantwortung übernehmen, für ein Leben im Einklang mit Ihren Werten.

Im Laufe der Zeit und durch Veränderungen der Lebenssituation kann sich Ihre Wertehierarchie ändern. Persönliche Einstellungen zum Leben, Kinder, ein anderer Beruf bewirken ein Umdenken in den Werten.

Nun, haben Sie zehn Werte, die Ihnen wirklich am Herzen liegen, nach denen Sie Ihr Leben ausrichten oder ausrichten möchten? Als wichtiger Aspekt bei dieser Selbstklärung kann sich herausstellen, dass es eigentlich mehrere Listen geben sollte. Das könnte sein, dann schreiben Sie

1. die Werte auf, die für Sie im Leben wichtig sind

2. die Werte auf, nach welchen Sie leben möchten

3. das auf, was Sie am liebsten im Leben machen oder machen möchten

Was lösen diese Werte bei Ihnen aus, stehen sie für etwas, das tief in Ihnen schlummert? Welche Gefühle entstehen in Ihrem Inneren? Freude, Zufriedenheit, Glück, Wohlbefinden? So richtig keines dieser Gefühle? Das ist auch in Ordnung. Vielleicht sollten Sie noch ein wenig an Ihren Werten arbeiten, vielleicht ist das alles auch noch etwas zu neu und ungewohnt für Sie.

Es kann jedoch auch sein, dass Sie ein Bedürfnis herausgearbeitet haben und diese Nennung für Sie eigentlich kein richtiger Wert ist. Ihr Unterbewusstsein, Ihre Seele, spürt das und dadurch können vorerst Disharmonien aufscheinen. Warten Sie ein oder zwei Tage und beginnen Sie mit der Auflistung Ihrer Werte noch einmal. Ihr Unterbewusstsein, Ihre Seele, hat für Sie in der Zwischenzeit vorgearbeitet und es wird beim nächsten Mal leichter gehen.

Es ist möglich, dass für Sie Kreativität, Verbunden-sein, Lernen jetzt wichtige Aspekte sind, sich später jedoch als Bedürfnisse herausstellen. Es kann auch sein, dass Sie für sich viele Werte erarbeitet haben und eigentlich keinen streichen möchten. Dann teilen Sie die Werte in zwei Gruppen. Mag sein, die eine Gruppe benötigen Sie, damit Sie effektiv und effizient arbeiten können oder sich im Leben wohlfühlen und in der zweiten Gruppe kristallisiert sich Ihre Lebensaufgabe heraus.

Alles das ist vorerst unerheblich. Sie haben einen Anfang gemacht und das jetzige Ergebnis ist auf jeden Fall ein Schritt zu einer neuen Lebenssicht.

Jetzt möchte ich Ihnen die Vorgehensweise nach den drei Listen etwas näher erklären.

> *Ein Bankangestellter stellte fest, dass er in seinem Beruf nicht mehr sehr glücklich ist. Der*

Druck, bestimmte Produkte unbedingt an den Bankkunden zu verkaufen, unerheblich ob dieser das Produkt auch braucht, wurde ihm einfach zu groß.

Seine Werte waren beraten, helfen, Menschen zufrieden und glücklich machen. Nachdem er das in seinem momentanen Job nicht mehr leben konnte, orientierte er sich neu und engagierte sich im Sozialbereich.

Die Werte, die er auflistete, fielen demnach in Position 2, wie er leben, was er im Leben erreichen und wie er agieren möchte.

Einer Allgemeinmedizinerin wurde der Papierkram einfach zu viel. 40% ihrer Arbeitszeit verbrachte sie mit dem Ausfüllen von Formularen und Statistiken. Die Vorschriften was, wann und wie sie verschreiben und anordnen darf, wurden immer rigoroser. Für ihre Patienten hatte sie immer weniger Zeit.

Ihre Werte waren eigentlich, heilen, Menschlichkeit, motivieren, offen sein für Neues. Das konnte sie jetzt, in ihrem Sinn, fast nicht mehr umsetzen. Sie klinkte sich aus und spezialisierte sich in der Alternativmedizin als selbstständige Beraterin.

Das, was für sie in diesem Leben wichtig war, konnte sie wieder umsetzen, Position 3.

Eine junge Frau arbeitete in einem Büro, wo es nur Streit und schlechte Laune gab. Jeder versuchte die anstehenden Arbeiten dem anderen zuzuschieben und es wurde sehr lustlos und schlampig gearbeitet. Es gab immer wieder großen Ärger mit dem Chef.

Ihre Werte waren, Miteinander leben, Verlässlichkeit, Ehrlichkeit und Freude.

Durch die Auflistung Ihrer Werte und dessen, was für Sie im Leben wichtig war, Position 1, fand sie den Ansatzpunkt, wie sie im Büro die Stimmung und die Energie so verändern konnte, damit dort eine gute Zusammenarbeit wieder möglich war.

Sie sehen, auch im täglichen Leben, in Ihrem jetzigen Beruf, können Sie Ihre Werte leben. Stellen Sie Ihre Werte fest und benützen Sie diese, um

- die momentane Situation zu verbessern – Büro
- einfach auszusteigen und etwas ganz Anderes zu machen – Bank
- gleichwertig Ihre Werte zu leben – Ärztin

Allen drei Personen konnten ihre Lebensqualität und den Wohlfühl-Faktor erheblich verbessern.

Ok, ich höre Sie sagen, *ja aber*, ich kann in meinem Beruf meine Werte in keiner Form leben. Dann überlegen Sie sich:

- Warum haben Sie diesen Beruf ergriffen?
- Was bereichert Sie während Ihrer Arbeit?
- Erleben Sie während der Arbeit Lichtblicke?
- Wo sind aufbauende, bereichernde Situationen?
- … …

Schwierig? Denken Sie bitte nach, ohne die Situation mit negativen Augen zu sehen. In jedem Job und bei jeder Arbeit gibt es Momente, wo Gefühle entstehen, die das Herz wärmen. Ein nettes Wort da, eine Aufmerksamkeit dort, ein Lächeln oder ein herzliches Danke. Vielleicht können bei Ihrer Arbeit sogar richtig schöne Glücksgefühle, entstehen – wenn Sie diese zulassen, erfahren wollen.

Ein Lagerarbeiter fragte mich: Wie soll ich bei meiner Arbeit Glücksgefühle entstehen lassen? Ich stehe in dieser riesigen Lagerhalle und packe nur Handwerksmaterialien wie Schrauben, Nägel und solches Zeug ein!

Er hat keinen Beruf erlernt, war froh, diesen Job überhaupt bekommen zu haben und hat große Bedenken, einen besseren Job zu finden.

Seine Werte waren Freude, ein Miteinander, glücklich sein und das alles möglichst mit anderen teilen.

Nun, das ist eine Aufgabe für Sie. Überlegen Sie einmal, wie Sie diese, seine Werte auf seine berufliche Tätigkeit umlegen könnten. Er wollte sich in seinem Beruf eigentlich wohlfühlen, wusste nur keinen Ansatz, wie er seine Werte integrieren und sie zugleich wirklich leben konnte.

Mein Gedankenanstoß war:

- Die Menschen bestellen Waren, weil sie damit etwas tun wollen.

- Wenn er alles zusammen mit Liebe einpackt und sich jetzt schon für den Empfänger freut, weil dieser damit etwas reparieren oder Neues bauen kann, kann er seine positive Energie mit diesem Päckchen auf den Weg bringen.

- Der Empfänger packt das mit positiver Energie belegte Päckchen aus,

- freut sich auf das, was er machen möchte und hat ein zufriedenes, wenn nicht glückliches Gefühl, das sich wiederum auf die Reparatur oder Fertigstellung auswirkt

Ich mache meine Arbeit mit Freude und verhelfe anderen zu zufriedenen, glücklichen Momenten – und das macht mich glücklich.

Das klingt doch gut und es fühlte sich für ihn auch sehr gut an. Er konnte das Tag für Tag wirklich leben.

Wenn Sie Ihre Werte authentisch leben, dann leisten Sie einen großen Beitrag für eine bessere Welt. Sie fühlen sich inspiriert, freuen sich auf jeden Tag und leben in Frieden mit sich und Ihrer Umwelt. Ihr Leben spiegelt Ihre Werte wieder, ist voller Sinn und Bedeutung, trägt zum Wohle anderer Menschen bei und hat noch einen positiven Einfluss auf das kollektive Denken.

Überlegen Sie sich einmal, wie Sie Ihre Werte am besten leben könnten. Wie würde sich das auf Ihr Leben auswirken? Fühlen Sie sich in die neue Möglichkeit ein, wie wird sich das anfühlen, was wird sich ändern? Springen auch Sie dann jeden Morgen aus dem Bett und rufen: *Leben, ich komme!*

Der Geist wird reich durch das, was er empfängt,
das Herz durch das, was es gibt.

Victor Hugo

Lebensaufgabe

Meine Frage, *Was, glauben Sie, ist Ihre Lebensaufgabe?*, hat viele Menschen nachdenklich gemacht. Auf die Idee, andere zu motivieren, aufzubauen, etwas Beglückendes zu tun, und dabei selbst bereichert zu werden, kommen die Wenigsten. Den engen Blick auf sich selbst richten, andere misstrauisch beäugen und Gefühle von Hoffnungslosigkeit und Nutzlosigkeit hochhalten, füllt bei vielen Menschen den Tag und oft das halbe Leben.

Zu sein, was wir sind und zu werden,
wozu wir fähig sind,
das ist das größte Ziel unseres Lebens.

Das können Sie für sich nun erreichen. Entwickeln Sie aus den von Ihnen gewählten, den für Sie essenziellen Werten, Ihre Lebensaufgabe. Alles Wissen, das Sie dazu benötigen und alle notwendigen Fähigkeiten, alles liegt bereits in Ihrem Unterbewusstsein. So wie Michelangelo sagte: David war schon im Marmorblock drinnen.

Erkennen Sie sich selbst, mit Ihren Wünschen, Werten und Möglichkeiten und glauben Sie an sich, und Ihr Leben wird leichter, leichter und glücklicher. Sobald Sie wissen, dass es das ist, was Sie möchten, fühlen Sie sich ein in Ihre neue Ausrichtung, glauben Sie daran und setzen Sie es um.

Wie wird es sich anfühlen, wenn Sie mit den Gedanken an die Umsetzung Ihrer Lebensaufgabe morgens aufwachen? Wie wird Ihr Tag aussehen? Was werden Sie anders machen? Wie und wo werden Sie anders reagieren, auf Ihre Umgebung, auf Ihre Mitmenschen, auf das Leben? Was alles verändert sich? Stellen Sie sich das genau vor, Sie sind der Regisseur Ihres Tages, Ihres Lebens. So wie Sie auf Ihren Tag auf Ihr Leben zugehen, so wird es werden.

Sie werden in Zukunft Ihre Identität weniger über Ihre Arbeit definieren, sondern *über Ihre Lebensaufgabe!* Sie können Ihrer eigenen Lebens-Vision folgen. Ihr Leben wird für Sie sinnvoller werden und Ihre Seele, der Kern Ihres SEINS, wird stärker Ausdruck finden. Der Weg zum Glücklichsein führt über die Lebensaufgabe.

Auch wenn das Leben Sie ab und zu zerzaust, fremde oder eigene destruktive Einflüsse Sie von Ihrem Weg abbringen, holen Sie Ihre Werte, Ihre Lebensaufgabe hervor und fühlen Sie sich wieder ein. Sie werden sehen, wie spielerisch leicht Sie Ihr Potential wieder entfalten können.

Schwieriger aber durchaus möglich wäre es, wenn Sie für Beruf und Privatleben je eine andere Lebensaufgabe für sich sehen. Sie benötigen dann sehr viel Disziplin und auch Selbstschutz, um in keinem Bereich aufge-rieben zu werden. Aus meiner Sicht würde ich Ihnen von so einer Konstellation gerne abraten. Denn das, was in Ihnen gelebt werden möchte, macht meist keinen Un-terschied zwischen Beruf und Privatleben. Sie sind *ein* Wesen – das seine Lebensaufgabe ausstrahlt.

Um Ihnen einige Anhaltspunkte für die Formulierung Ihrer Lebensaufgabe zu geben, möchte ich einige Beispiele anführen. Wenn Sie fair sind, nehmen Sie die folgenden Seiten als Gedankenhilfe – abschreiben wäre zu leicht. Denken Sie an das Kind mit Schuhen der Schuhgröße 46, die passten auch nicht. Oder nehmen Sie das Beispiel der Wolle/Stricknadeln/selbst stricken. Wenn Sie es sich leicht machen wollen und auf das Selberstricken verzichten, so ziehen Sie das Kleid eines anderen an. Ihre Lebensaufgabe ist jedoch keine Konfektionsware und in keinem Kaufhaus erhältlich.

Eine sehr warmherzige, liebevolle Dame gibt Kurse in meditativem Tanz. Ihre Lebensaufgabe lebt sie voll und ganz aus. Ihre Werte sind: Menschlichkeit, Leichtigkeit und Bewegung. Die von ihr gewählte Lebensaufgabe:

> *Ich zeige den Menschen, dass jeder die Leichtigkeit des Seins durch die Bewegung erfahren kann.*

Ganz gleich, wann und wo sie einen Menschen trifft, alles ist leicht und alles ist Bewegung, und sie selbst lebt Warmherzigkeit und Menschlichkeit.

Eine Lehrerin in einer Schule für lernschwache Kinder hat die Werte: Fürsorge, Hoffnung, Glaube. Ihre gewählte Lebensaufgabe:

> *Ich glaube daran, dass es für diese Kinder Hoffnung auf ein lebenswertes Leben gibt.*

Eine etwas ältere Frau hat die Werte: Erfolg lehren, eigenes Wissen weitergeben, Freiheit das zu tun, was man tun möchte. Die gewählte Lebensaufgabe:

> *Ich bringe Menschen bei, wie sie erfolgreich und frei werden können und ihre Lebensaufgabe finden.*

Eine Beamtin bildet sich in Ihrer Freizeit auf eigene Kosten fort, um ihr Wissen an andere weiterzugeben. Ihre Werte sind: Lernen durch Weiterbildung, Engagement, Freude, Wissen vermitteln. Sie engagiert sich in ihrem Beruf und in ihrer Freizeit sehr erfolgreich in der Erwachsenenbildung:

Ich lerne mit Freude und gebe mein Wissen mit vollem Engagement an alle Menschen weiter.

Eine Frau im Sozialbereich nannte die Werte: offen sein, Menschen achten, helfen und Lösungen leben. Die Lebensaufgabe:

Ich achte alle Menschen, gehe offen auf sie zu und helfe ihnen mit neuen Lösungen, ihr Leben zu verbessern.

So können Sie an das Erarbeiten und Erkennen Ihrer Lebensaufgabe herangehen. Mag sein, Sie müssen einige Male von vorne beginnen, den einen oder anderen Wert austauschen, tun Sie das. Lassen Sie jedoch bis zum nächsten Versuch etwas Zeit verstreichen, damit Ihre Gedankenschiene sich beruhigen und anderwärtig ausrichten kann. Üben Sie, bis Sie das Gefühl haben: *Ja, jetzt ist es rund.* Mit dieser Formulierung meiner jetzigen Lebensaufgabe kann ich sehr gut jeden Morgen aus dem Bett springen, in Vorfreude auf das Umsetzen.

Und bitte bedenken Sie, veränderte Lebenssituationen bedingen meist auch veränderte Lebensaufgaben. Haben Sie keine Scheu vor Änderungen.

In den nächsten Beispielen führe ich nur mehr die Werte an und die sich daraus ergebende Lebensaufgabe.

Sich einsetzen – gut Leben – Leidenschaft – Begeisterung leben:

Mit Begeisterung und Leidenschaft sich für andere einsetzen damit diese gut leben können.

Beziehungen aufbauen – Führen – persönliche Freiheit – Harmonie:

Ich baue harmonische Beziehungen auf und führe diese Menschen in die persönliche Freiheit.

Menschen helfen – Gesundheit – Partnerschaft:

Einen Ort der Heilung durch Kooperation und Partnerschaft schaffen.

Offenheit – Leichtigkeit – Fluss des Lebens:

Ich lebe offen und mit Leichtigkeit und betrachte mein Leben als immerwährenden Fluss, der mich tagtäglich bereichert.

Menschlich sein – Liebe – Erfolg – Freiheit:

Ich nehme mir die Freiheit, mit Menschlichkeit und Liebe andere zu ihrem Erfolg zu führen.

Leichtigkeit – Fröhlichkeit – Wissen weitergeben:

Mit Leichtigkeit und Fröhlichkeit gebe ich mein Wissen weiter.

Inspiration – Freude – Erfüllung – Reichtum:

Ich inspiriere Menschen dazu, Erfüllung und Freude zu leben, um reich an Geist und Fülle zu werden.

Hoffnung bringen – Wissen weitergeben – Welt verbessern:

Ich engagiere mich ehrenamtlich, damit ich mit meinem Wissen, bei anderen Hoffnung aufbauen und dadurch die Welt verbessern kann.

Leidenschaftlich leben – Freude – Menschen, die wissen, was sie wollen:

> *Ich lebe mit Leidenschaft, umgebe mich mit ernsthaften Menschen und hinterlasse auf meinem Weg eine Spur der Freude.*

Witzbolde gibt es natürlich auch immer und so kam die Frage nach dem richtigen Text der Lebensaufgabe, wenn folgende Werte wichtig sind: Sonne und Freizeit – gut leben – nichts arbeiten:

> *Seine Lebensaufgabe besteht darin, sich eine reiche Frau zu suchen, die im Süden ein Haus hat und von der er leben kann.*

Das war meine Antwort ☺!

Was uns vom Glück trennt,
ist die Kluft zwischen den Werten,
zu denen wir uns bekennen
und den Werten,
nach denen wir leben.

Stehen Ihre Werte noch in keinem Zusammenhang mit Ihrer Lebensaufgabe? Dann haben Sie vielleicht Begriffe gewählt, von denen Sie

- glauben, das tun zu müssen
- glauben, dass das von Ihnen erwartet wird
- glauben, dass Sie so leben sollten.

Da gibt es nur eines: Beginnen Sie von vorne und stellen Sie Ihr Licht nicht unter den Scheffel. Wenn Sie die richtigen Werte für sich entdeckt haben, sollte Ihr Herz einen Sprung machen und ein eindeutige *ja* erklingen. Ein ja, das Sie in eine Zufriedenheit katapultiert und Glücksgefühle entstehen lässt.

> *Vergessen Sie bitte auch nicht, alles mit Liebe, Freude, Frieden, Geduld, Güte, Treue, Sanftmut, Selbstbeherrschung und Freundlichkeit zu tun, für ein beglückendes, kreatives Miteinander, wo jeder von jedem lernen kann und bereichert wird.*

Machen Sie das zu Ihrer Lebenseinstellung, legen Sie Ihre persönlichen Werte, Talente und Ihr Lebensaufgabe dazu und Ihre Seele wird aufblühen. Sie werden Ihr Selbst leben und ausstrahlen, und mit jedem Menschen in eine bereichernde Beziehung treten können. Seien Sie Sie selbst und leben Sie Ihr SEIN.

Seit dem Anfang

wird Zeit und Raum

im Sein gehalten,

entfalten sich die Elemente,

in den Beziehungen zueinander,

werden aus den Bewegungen

jeden Augenblick neu

die Gestalten.

Theodor A. M. Frey
aus 4 Symphonien

Dazu möchte ich Ihnen eine Geschichte erzählen. An einem sonnigen, warmen Spätsommertag wollte ich mit meiner Freundin zum Abschluss dieses Tages noch eine Kleinigkeit essen. Leider waren auf der Gartenterrasse, wo wir gerne sitzen wollten, alle Tische besetzt. An einem Fünfertisch saßen jedoch nur zwei Damen und meine Freundin fragte, ob wir uns dazusetzen können. Es wurden zwei inspirierende Stunden. Warum?

Die eine Dame arbeitete in einer Konditorei am Ort und ließ uns kleine Köstlichkeiten, die sie für sich selbst gekauft hatte, kosten ... und so kamen wir ins Gespräch. Sie erzählte von den vielen Kreationen, die in der Zuckerbäckerei kreiert und in der eigenen Bäckerei gebacken werden. Die Kreationen sind so köstlich, dass die Menschen aus einem Umkreis von 100 km kamen, um dort einzukaufen.

Außerdem erfuhren wir von ihr von sehr vielen lohnenden Ausflugszielen, sie erzählte uns von Gasthäusern, wo man sehr gut essen könne, von Sehenswürdigkeiten der Gegend die wir unbedingt besuchen sollten und noch von vielem mehr. Sie erzählte das alles in einer liebenswürdigen, freundlichen und unaufdringlichen Art. Es war traumhaft.

Auf der Rückfahrt habe ich mit meiner Freundin versucht, etwas von dem aufzulisten, was wir empfunden haben. Diese Frau

- strahlte vor Lebensfreude

- ist sehr bodenständig, liebt ihre Heimat

- lebt ihr SELBST und ihre Überzeugung

- gibt gerne etwas – Informationen, Tipps, Hinweise

- ist hilfsbereit und offen, allem und jedem gegenüber

- bereichert andere gerne

- und, und, und ...

Diese Dame kommt deshalb mit sehr vielen Menschen in Kontakt, weil sie aus sich heraus strahlt. Sie lebt ihre Wärme und Menschlichkeit und ist deshalb auch sehr beliebt. Ihr Wesen bewirkt einen Wohlfühlfaktor beim Nächsten und der macht ihn so glücklich, dass er immer wieder kommt und diesem Geschäft, und auch ihr seit Jahren die Treue hält.

Welche Werte dieser Frau wichtig sind und was sie als ihre Lebensaufgabe erfasst hat – höchst wahrscheinlich unbewusst – das dürfen Sie selbst zusammenstellen.

Nun zurück zu Ihnen. Sie kennen nun den Sinn des Lebens, haben herausgefunden, was für Sie jetzt wichtig ist und welche Werte Sie gerne leben möchten. Daraus haben Sie Ihre Lebensaufgabe formuliert – das, was Sie zurzeit tun oder tun möchten – und einen Merksatz gebildet. Wie fühlt sich das an? Was bewegt Sie jetzt, was animiert Sie?

Sobald Sie nach Ihrer neuen Ausrichtung leben, dann sind Sie ein großes Stück auf Ihrem Weg zu einem erfüllten, zufriednen und glücklichen Leben gegangen.

Die Hingabe an Ihre gewählte Aufgabe wird Ihnen als Geschenk Glück und Freude bringen. Weil Sie authentisch aus sich heraus leben, Ihre Lebensaufgabe ausstrahlen und deshalb positive Resonanz von Ihrer Umgebung bekommen.

Ok, ok, es wird immer wieder einige Menschen geben, die Ihnen ausweichen, pampig werden, Sie weniger mögen. Nur fragen Sie sich einmal, ob das vielleicht nur Neid ist. Neid, weil Sie etwas ausstrahlen, das der andere noch nicht erreicht hat, noch erarbeiten darf.

Gehen Sie einfach an ihn heran, stellen Sie Fragen und helfen Sie ihm dabei, seine Lebensaufgabe zu finden und er wird strahlen wie Sie.

Wenn jeder Mensch auf der Welt
nur einen einzigen anderen Menschen glücklich machte,
wäre die ganze Welt glücklicher!

Johannes Mario Simmel

Kontakte knüpfen

Nun stellen Sie sich einmal vor, Sie gehen mit Ihrer Lebensaufgabe hinaus. Mit dem, was Sie leben möchten, was Ihnen wichtig ist, um Kontakte zu knüpfen. Spüren Sie Ihre Energie und Kraft? Strahlen Sie, fühlen Sie Ihr liebevolles Verständnis? Dann leben Sie Ihre Lebensaufgabe – dann leben Sie Ihr Selbst!

Glauben Sie, dass dann ein Nein, eine Absage oder eine Ablehnung Sie in irgendeiner Weise berührt?
Der Andere

- liegt vielleicht nur auf einer anderen Wellenlänge
- ist im Moment nicht offen für Ihr Angebot
- hat vielleicht andere Interessen
- hat vielleicht andere Vorstellungen
- hat ein anderes Ziel
- oder er weiß überhaupt noch nicht, was er will
- ... ...

Sie sind jetzt schon so tolerant und aufgeschlossen, Sie akzeptieren einfach seine Entscheidung. Er hat ja nicht Sie persönlich abgelehnt, sondern nur Ihr kommerzielles Angebot, welcher Art auch immer das war. Sehen Sie, wenn Sie mir eine Mondfahrt anbieten, werde ich auch ablehnen – das hat aber wirklich nichts mit Ihnen als Mensch zu tun.

Natürlich begegnen Ihnen auch griesgrämige Menschen. Auch ist es Ihnen sicher schon passiert, dass bei einem Kennenlerngespräch der andere nur jammerte. Alles negativ sieht und schlecht macht, und bei ihm sowieso alles anders und viel schlimmer war und ist und immer sein wird. Dann können Sie nur das versuchen, was Karl Valentin einmal sagte:

Ich begebe mich nicht zum Publikum hinunter,
ich hole es zu mir auf die Bühne.

Machen Sie es genauso, lassen Sie sich nicht in die Negativität ziehen. Unterbrechen Sie ihn einfach und fragen Sie ihn, wie er die bejammerte oder schlechte Situation ändern könnte. Wo Änderungen greifen würden und was eine gute Lösung zur Verbesserung der Situation wäre. Wenn Sie so weit gekommen sind und er Ihnen noch immer zuhört, dann fragen Sie ihn, ob er die Änderung auch anwenden könnte ... ab jetzt haben Sie wahrscheinlich einen neuen Freund.

Eine andere Form des Gespräches ist genauso unangenehm. Ihr Gesprächspartner ist der/die Beste. Alles ist größer, besser, höher und breiter, und, und ... Und nur bei ihm oder seiner Firma und sonst nirgendwo

- können Sie Erfolg haben
- sind ideale Bedingungen für ...
- gibt es die besten Kontakte
- werden Sie Karriere machen
- ... ...

Ich bin bei einem Manager-Treffen gewesen in einem sehr vornehmen Rahmen, alles war vom Besten. Nach der Rahmenveranstaltung bin ich mit einer Dame ins Gespräch gekommen die mir erzählte, dass

- bei ihr alles so super ist
- alles fantastisch funktioniert
- sie so gefragt ist
- außerdem ihr Mann ein sehr bekannter Arzt ist
- es ihr hervorragend geht
- die Jahresgebühr für den Managerclub so teuer ist
- ... ...

Nachdem Sie irgendwann einmal Atem holen musste, fragte ich sie, warum sie dann hier sei, was sie erfahren oder erreichen möchte. Sie können mir glauben, in diesem Moment konnte ich alle Ihre Zahnfüllungen sehen – ihr Mund blieb einfach offen.

Es wäre doch einfach gewesen zu sagen,

- ich will nette Menschen kennenlernen
- ich möchte Kontakte knüpfen
- ich möchte mich austauschen
- ich wollte den Vortrag hören
- ... ...

Dieser Satz hätte aber nur kommen können, wenn sie wirklich gewusst hätte,

- warum sie dort hingegangen ist,
- was sie beruflich umsetzen möchte,
- was sie erreichen will
- und vor allem was sie leben möchte.

Bei jedem Netzwerk ist es leichter, einen neuen Partner für sich zu gewinnen, wenn Sie über seine Lebensaufgabe informiert sind. Beim nächsten Treffen steigen Sie ein über den Anlass des Treffens und reden Sie mit ihm. Warum er gerade jetzt hier ist, was er erwartet, ... und Sie werden einiges über seine Werte erfahren.

Auch beim Network-Marketing ist es leichter, über die Lebensaufgabe Kontakt zu Menschen zu bekommen. Lassen Sie dem Neuen ruhig die 50 oder 100-Leute-Liste schreiben, jedoch unter folgender Bedingung: Er soll zu jedem Namen dazuschreiben, was er glaubt, welche *Werte* diesem Menschen im Leben wichtig sind. Sollten nur materielle Aussagen kommen, bitte im direkten Gespräch hinterfragen.

Schon diese offene, herzliche Kontaktaufnahme zu einem Menschen aus der 50 oder 100-Leute-Liste bringt einen großen Gewinn. Der andere merkt, hier interessiert sich jemand für mich, mein Leben und das, was für mich wichtig ist. Er fühlt sich auch beachtet, akzeptiert und angenommen.

Nur, bitte mit Liebe und Verständnis an den Nächsten herangehen, denn ohne diese beiden Eigenschaften sind wir Vögel mit gebrochenen Flügeln.

Wenn Sie jemanden fragen, was er sich im Leben wünscht, was er erreichen möchte, dann wird meist genannt:

- finanzielle Unabhängigkeit
- Haus
- Auto
- Rentenversorgung
- … …

Stopp! Alle diese Wünsche und Ziele haben ihre Berechtigung. Nur, fragen Sie einmal Ihr Gegenüber, was eigentlich hinter diesen offensichtlichen, jedoch materiellen Wünschen steht? Wäre es möglich, dass hinter die-sem Streben nach Haus, Rente, Studium eine Bedürfnisbefriedigung steht? Diese Bedürfnisbefriedigung wächst wahrscheinlich auf dem Boden der Sorge um

- sich selbst
- die Familie
- die Zukunft
- die Gesundheit
- die Wirtschaftslage
- das Alter
- die Umwelt
- … …

und das erzeugt Angst und diese Angst macht abhängig. Abhängig von der Wirtschaftslage, dem Gesundheitssystem, der Zukunft, der allgemeinen Entwicklung und vielem mehr.

Können Sie aktiv, kreativ und aufbauend arbeiten wenn Sie Angst haben? Ich glaube nein. Im Leben genauso wie im Beruf, und besonders in Netzwerken und im Network-Marketing laugt jedes Nein, jede Ablehnung aus. Es deprimiert und verstärkt die Angst, dem Leben und den Wünschen nicht gewachsen zu sein.

Mein Tipp! Fragen Sie Ihr Gegenüber, was hinter seinem Wunsch einer guten Rentenversorgung steht, vielleicht

- genügend finanzielle Mittel
- für Reisen und Bildung
- ein gutes Leben
- ... ...

Welche Werte hat er für sich erarbeitet und was ist ihm sonst noch im Leben wichtig? Vielleicht

- Fröhlichkeit
- Wissen weitergeben
- Ehrlichkeit
- ... ...

Hier habe ich jetzt eine große Bitte an Sie. Jeder muss selbst aus seinen Werten und seinem Wunsch, seinen Lebensaufgabe-Satz formulieren. Es ist sein selbst gestricktes Kleid und Keine Konfektionsware.

Zum Üben jedoch eine Vorgabe für das Beispiel Rentenvorsorge. Wenn Sie jetzt den Wunsch, die Rentenversorgung, mit seinen Werten verbinden? Wie könnte seine Lebensaufgabe lauten:

Ich gehe fröhlich und ehrlich hinaus, gebe mein Wissen weiter und baue mir dadurch meine Rentenversorgung auf

Glauben Sie, damit kann er jeden Tag hinaus und an die Menschen herangehen? Versetzen Sie sich in diese Situation und überlegen Sie einmal: Sollten jetzt wirklich, einige Neins kommen, so ist sein Selbstwertgefühl in keiner Weise angekratzt. Seine Lebensaufgabe ist von keinem Nein beeinträchtigt. Er lebt fröhlich und ehrlich und gibt sein Wissen weiter, zum Wohle aller.

Der eine Gesprächspartner wird sofort interessiert sein und sein Partner werden wollen. Der andere eben etwas später, das ist für ihn unerheblich. Er hat auf jeden Fall jetzt schon gewonnen, er hat das Gegenüber sicher mit seiner Ehrlichkeit, Fröhlichkeit und Gelassenheit beeindruckt. Seine Nähe wird gesucht werden, sie ist angenehm und bereichernd, denn er strahlt seine Lebensaufgabe aus.

Man mag vergessen, was Sie gesagt haben,
aber man wird nie vergessen,
wie Sie ihr Gefühl beeinflusst haben

Carl W. Buechner

Sie wissen nun, was für Sie wichtig und richtig ist, was Sie vermitteln und leben möchten. Sie gehen jetzt anders auf den Nächsten zu, als wenn Sie sofort ein Produkt (gleich welches), eine Leistung (gleich welche) anbieten. Ein Desinteresse an Ihrem Angebot kann überhaupt nicht mehr entstehen. Sie gehen ja über seine Werte an den Anderen heran und bauen in seine Werte Ihr Angebot ein.

Höre ich jetzt ein, *ja aber*! Nein, es gibt kein *ja aber*, wenn Sie hinausgehen und materiell agieren, werden Sie es um vieles schwerer haben, als wenn Sie über Ihre Lebensaufgabe hinausgehen.

> *Eine Freundin von mir hasst ihren Job, ist aber zu bequem, um sich etwas anderes zu suchen. Ihre Meinung ist, ja es könnte doch, und wenn, und wer weiß, ...*
>
> *Auf die Frage, was ihr im Leben eigentlich wichtig wäre, bekam ich die Antwort, „... dass ich am Letzten mein Geld bekomme."*

Ich glaube, dazu ist keine Erklärung mehr notwendig. Sie hängt im Finanziellen und kann – freundlicherweise möchte ich sagen zurzeit – noch keinen Wert nennen, der hinter dem Finanziellen steht. Ihre Gedanken, Ihr Leben sind noch zu sehr von der Sorge um das Finanzielle geprägt.

Sollten Sie auf einen Menschen stoßen, der ähnlich agiert, dann geben Sie ihm bitte nur einen Denkanstoß. Keine Lösung und keinen Lösungsvorschlag! Und belassen Sie es vorerst dabei – bitte keine Konfektionskleider. Langfristig gesehen ist Ihr Gedankenanstoß auf jeden Fall eine Bereicherung für den Anderen und Sie durften dabei üben.

Das wichtigste beim Netzwerken und ganz besonders im Network-Marketing ist, am anderen interessiert zu sein. Mit dem Nächsten schnell und tief greifend in Beziehung zu treten, und das geht am einfachsten auf der Grundlage der Werte, die für den anderen wichtig sind.

Fragen Sie Ihr Gegenüber zuerst, was ihm wichtig ist, welche Werte er leben möchte. Dann können Sie feststellen, welches Produkt, welche Leistung, welcher Ansatzpunkt aus Ihrem Angebot für ihn interessant ist. So interessant für ihn ist, dass er das unbedingt haben will. Warum? Weil er damit eines seiner Wertebedürfnisse befriedigt. Weil er damit glücklicher und zufriedener leben kann. Glauben Sie, dass Sie jetzt noch ein Nein von ihm bekommen?

Grundvoraussetzung ist jedoch, dass die Antwort des Gegenübers nicht in Ihrem Filter von Spuren des Lebens, Vorstellungen, Programmierungen und Prägungen hängen bleibt. Es gibt keine falschen Antworten – es gibt immer nur eine Reaktion auf den Moment, den Sie selbstbeherrscht, liebevoll, tolerant, friedlich, geduldig, und sanftmütig akzeptieren sollten. Denn nur durch Ihre liebevolle Hinwendung zum anderen können Sie dessen Fähigkeiten erkennen und ihm dadurch Raum geben für seine und Ihre Entwicklung.

Ihr Gegenüber ist etwas Kostbares. Betrachten Sie ihn als ein Juwel. Ein Juwel, das, wenn Sie es richtig anfassen und ihm helfen, Hochglanz zu erreichen, für Sie eine Bereicherung werden kann.

Die Ausrichtung auf Ihre Lebensaufgabe, lebendig und echt gelebt, wird immer nach außen spürbar und sichtbar.

Lasse nie zu,
dass du jemandem begegnest,
der nicht
nach der Begegnung mit Dir
glücklicher ist.

Mutter Theresa

Lieben Sie sich

Öffnen Sie die Türen zu Ihrem Selbst, ich habe Ihnen einige Schlüssel gezeigt, benützen Sie diese.

Probieren Sie aus, welche Türen damit geöffnet werden können und gehen Sie offen und neugierig, erwartungs- und vertrauensvoll durch die Räume Ihrer Seele. Sehen Sie nach, was in diesen Räumen schlummert und was dahintersteckt. Betrachten, prüfen und analysieren Sie die neuen Entdeckungen. Behalten oder verwerfen Sie, treffen Sie Entscheidungen und integrieren Sie die neuen Ausrichtungen und Ideen in Ihr Leben.

Packen Sie liebevoll die vorhandenen Geschenke aus und freuen Sie sich über den Inhalt. Nichts war umsonst, denn Sie sind ein ganz besonderes Wesen, ein einzigartiges Individuum auf dieser wunderschönen, großen, weiten Welt.

Denken Sie auch daran, das Leben ist wie ein großes Orchester, einige Stücke spielt man gemeinsam und dann kommt ein anderes Engagement. Die Trennung hinterlässt Schmerz und Wehmut und Spuren auf der Seele.

Doch die Sonne geht wieder auf, an einem neuen Morgen und andere Spieler werden Sie begleiten, beruflich oder privat. Jede neue Begegnung wird an Ihrem Rohdiamant schleifen, der tief in Ihrem Innersten sitzt, bis er hell erstrahlt und Sie Ihr Selbst, in seiner ganzen Pracht leben können.

Der ewige Kreislauf des Lebens, ein ewiger Kreislauf des Begegnens, ein ewiger Kreislauf des Lernens. Denn lernen können Sie alles, wenn Sie offen sind für Neues. Es ist nie zu spät ein selbstbestimmtes, erfülltes Leben zu beginnen und zu leben. Wagen Sie den Schritt, damit Sie später einmal sagen können: Ich bin zufrieden und glücklich, ich habe wirklich gelebt.

Es ist nicht genug zu wissen,
man muss es auch anwenden;
es ist nicht genug zu wollen,
man muss es auch tun.

Johann Wolfgang Goethe

Bringen Sie Ihre Seele, Ihr Selbst, zum Erblühen und berühren Sie die Seele anderer, denn

Glücklich oder unglücklich
sind wir nicht durch unsere Lebenslage,
sondern durch unsere Einstellung zum Leben.

Frühnebel

Frühnebel hängen noch über dem See, die aufgehende Sonne küsst die Bergspitzen und färbt sie rot. Es riecht nach frisch geschnittenem Gras und feuchtem Uferkies. Noch ist die Luft kühl und angenehm. In einer Stunde, wird die Sonne die Rosen wärmen und ihr betörender Duft sich durch den Garten ziehen bis zum Haus. Das große Tor wird offenstehen für alle Menschen, die ihre Einstellung zu sich und dem Leben ändern, andere Sichtweisen ausprobieren, neue Perspektiven erfahren oder ihre Lebensaufgabe erkennen möchten. Gemeinsam werden wir lachen, im Lernen unsere Werte erkennen, und lehren, und leben, und SEIN.

www.regenbogen-cplhn.de

Hallo und – wie geht es Ihnen heute?

Haben Sie sich gefunden, in sich selbst? Konnten Sie Ihr Selbstwertgefühl, Ihr Selbstbewusstsein aufpolieren? Kennen Sie Ihre vielen versteckten Ketten, die Sie daran hindern, frei und glücklich zu leben? Konnten Sie Blockaden lösen und die Spuren Ihres Lebenswagens minimieren? Fein, ich freue mich für Sie.

Möge Ihr Leben nun all das enthalten, das Sie sich wünschen, gelebt mit der Überzeugung ein einzigartiger und außergewöhnlicher Mensch zu sein, der auf andere unwahrscheinlich anziehend und bereichern wirkt.

Mit den besten Wünschen

Ihre

Christine Pleschkou